ENGLAND
London
Dover
Dunkirk
Calais
FRANCE
UN252292
CLINICAL
PSYCHOLOGY

北村薫と有栖川有栖の
名作ミステリー
きっかけ大図鑑

ヒーロー＆ヒロインと謎を追う！

第1巻 集まれ！ 世界の名探偵

日本図書センター

この本の見かた

海外と日本の名作ミステリーの中から選んだヒーロー、ヒロインと、その物語を、見開き２ページで紹介していきます。

マーク
ヒーローは、窓辺に立つ男性の影が、ヒロインは、女性の影が描かれています。

タイトル
物語の作品名と取り上げたヒーロー、ヒロイン名がわかります。

ヒーロー、ヒロイン
物語の登場人物のひとりをヒーロー、ヒロインとして選び、作品世界へとナビゲートします。

人物紹介
ヒーロー、ヒロインの境遇や性格の特長などがわかります。

プロフィール
物語から読みとれるヒーロー、ヒロインの暮らしぶりや性格、物語の舞台などの情報を伝えます。

あらすじ
作品のあらすじを簡潔に紹介します。※「ネタばれ」はありません。

作品
作品名、作家名、初出、出典の情報です。

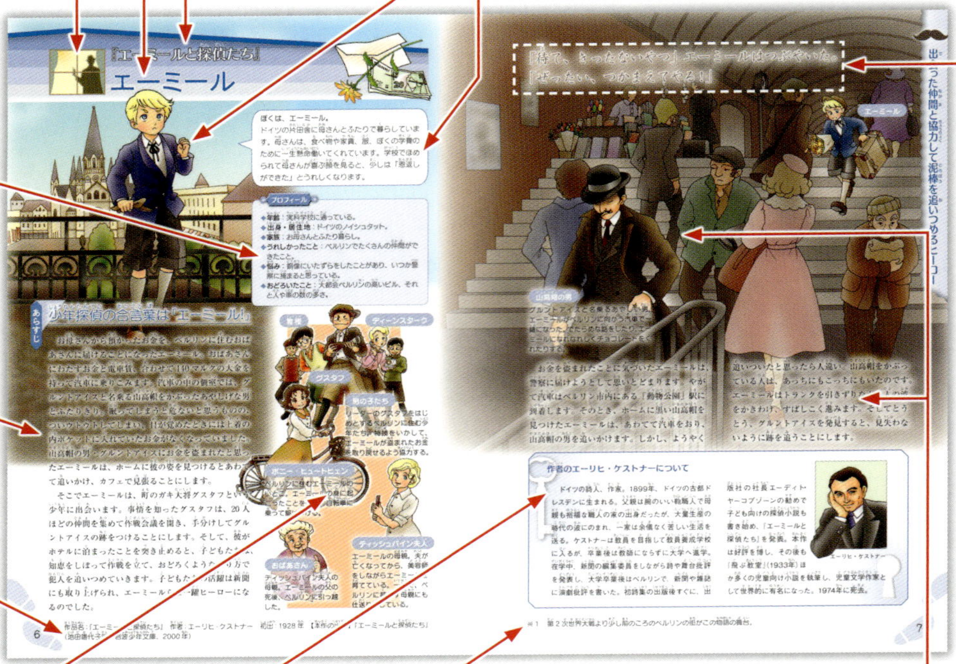

主な登場人物
ヒーロー、ヒロインと関わり、物語を彩る主な登場人物です。

コラム
作者の生涯や、その作品世界を紹介します。

注
むずかしいことばの説明や、内容の補足をします。

名場面
作品の中の出来事の１シーンを、状況の説明とイラストで紹介します。

引用
名場面に関わる一文を出典作品より引用して紹介します。

本書について

＊本書に掲載するイラストは、原作を参考にして、イラストレーターがそれぞれイメージし、新たに描いたものです。
＊作品のタイトルや登場人物の名前、引用文は、巻末に掲載の典拠資料を参考にしています。
＊原則として本文は、すべての漢字に読みがなを付け、現代かなづかい、現代送りがなを使用しています。
＊書名・作品名は『 』、新聞・雑誌名・映像作品名・シリーズ名は「 」を用いてあらわしました。また、書名・作品名にはできるだけ初出年を記しました。
＊本書は、一部に今のわたしたちが使うべきではない差別的な語句や表現がありますが、作者の生きた時代や作品の芸術的価値を考えて、原文のままとしています。

もくじ

名作ミステリーへの
招待状
1

はじめに——名探偵を見つけよう！

有栖川有栖（作家）

シャーロック・ホームズ

ワトスン博士

◆名探偵はミステリー界のヒーロー

ミステリーに欠かせないヒーローが名探偵です。名探偵とはなにか？　説明するまでもありませんね。鋭い観察力と冴えた推理で難事件を解決してしまう主人公です。

これから世界中の名探偵を一気に18人ご紹介しましょう。年齢、性別、職業から性格や推理・捜査の方法まで実にさまざまで、いろんなタイプのヒーローがいます。

◆ホームズは名探偵の中の名探偵

たとえば、名探偵の代名詞ともいえるのがイギリスの作家、A・C・ドイルが生んだシャーロック・ホームズ。作品を読んだことがない人でも名前は聞いたことがあるのではないでしょうか。

天才的な推理力の持ち主で、その才能をいかす仕事として私立探偵をしているため、ありきたりの事件の依頼は引き受けません。得体のしれない不可思議な事件こそが彼の心に火をつけ、友人で助手役の医者のワトスン博士とともに現場に向かわせるのです。頭脳派であると同時に格闘技にもすぐれていて、たのもしいかぎり。

かなりの変人ですが、そこがまた魅力になっていて、ホームズが活躍する物語は発表されてから130年近くたった今でも世界中で愛されています。ホームズとワトスンが一緒に暮らしていたロンドンの住所には、今も事件の捜査を依頼する手紙（一種のファンレター？）が届きつづけているそうです。

この本では、誰も出入りできないはずの部屋で起きた怪事件の謎を解く『まだらの紐』を取り上げました。これ一作で、あなたもホームズとワトスンのコンビのとりこになってしまうかもしれません。

明智小五郎

◆明智小五郎と金田一耕助の活躍

日本のミステリーにも、明智小五郎と金田一耕助といった名私立探偵がいて、多くの名作で活躍を見せてくれます。映画やドラマやマンガで彼らを知った人もいるでしょう。腕力でも魔

法でもなく、論理で犯人を追いつめていく『心理試験』は迫力満点だし、金田一耕助が奇怪な連続殺人の謎を解く『獄門島』は、日本のミステリー史上の最高傑作とする人もたくさんいます。

◆泥棒なのに探偵？？　警察官も探偵！！

フランスの作家、M・ルブランが生んだアルセーヌ・ルパンもホームズとならぶ人気者です。こちらは怪盗紳士と呼ばれる大泥棒だから事件を起こす側なのですけれど、鮮やかに謎を解いてみせるので名探偵の仲間に加えました。悪の世界に生きながらも、人を傷つけるのを嫌うスマートな怪盗紳士の冒険と推理は、読む者の心をスカっとさせます。

大泥棒だって名探偵になれるのですから、子どもでもおばあさんでもカメラマンでも、みんな名探偵です。鋭い推理力と観察力、謎にチャレンジして真実を知ろうとする好奇心さえあれば。彼ら、彼女らは、事件に巻きこまれて探偵役をしてしまう場合もあれば、事件の関係者に頼まれて名探偵ぶりを発揮する場合もあります。

犯罪捜査の専門家である警察官だって、並はずれた推理をすれば名探偵と呼ばれます。

「警察官と探偵は違うよ」と思う人がいるかもしれませんが、時代や国・地方によっては探偵ということばは刑事を含むことがあり、また英語のディテクティブには探偵と刑事のふたつの意味があるのです。

◆推理をめぐらすスリリングな体験を

わたしたちが名探偵に心ひかれるのは、なぜでしょうか？もちろん頭脳派のヒーローの活躍ぶりが痛快でおもしろいから夢中になるのです。また「真相はこうかな？」と推理をめぐらせながら読み、答えを自分で見つけ出そうとする体験のおもしろさもあります。が、それだけではないように思います。

犯人は誰かと考えるとき、「こんなことをしそうなのは、あいつだな」という思いこみを読者は捨てなくてはなりません。澄んだ目で登場人物たちを観察して、知恵の力を信じ、論理的に考えることを求められるのです。名探偵の推理を楽しみながら、自分の思わぬ偏見や錯覚に気づいて、はっとすることも多々あるに違いありません。

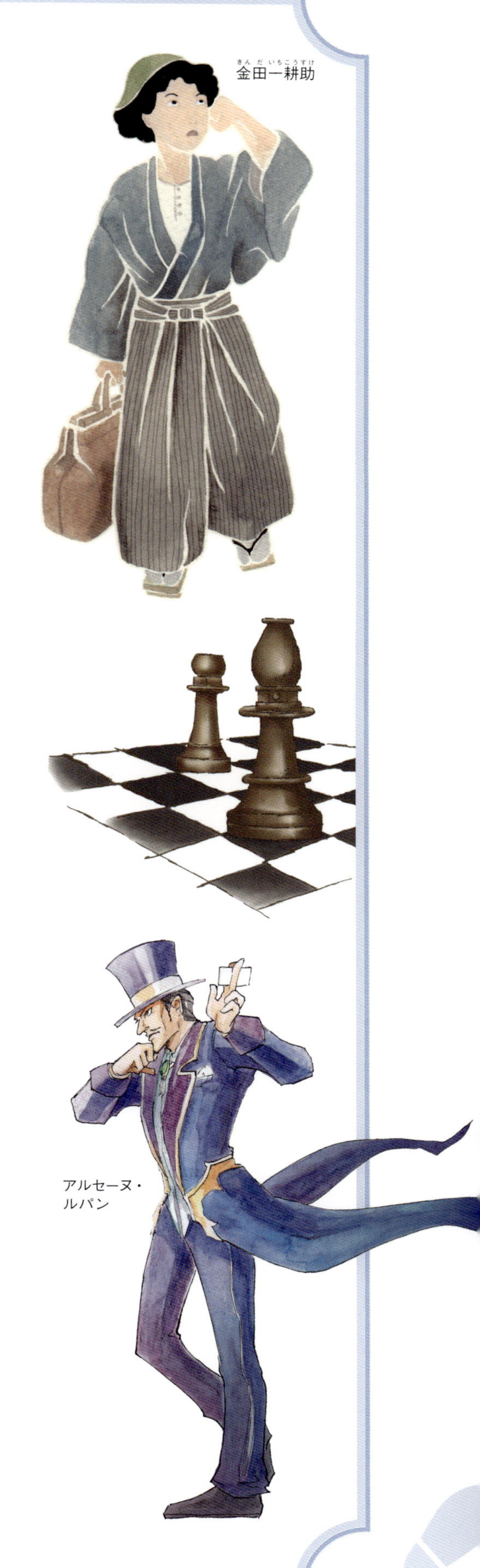
金田一耕助
アルセーヌ・ルパン

『エーミールと探偵たち』

エーミール

ぼくは、エーミール。
ドイツの片田舎に母さんとふたりで暮らしています。母さんは、食べ物や家賃、服、ぼくの学費のために一生懸命働いてくれています。学校でほめられて母さんが喜ぶ顔を見ると、少しは「恩返しができた」とうれしくなります。

プロフィール

- **年齢**：実科学校に通っている。
- **出身・居住地**：ドイツのノイシュタット。
- **家族**：お母さんとふたり暮らし。
- **うれしかったこと**：ベルリンでたくさんの仲間ができたこと。
- **悩み**：銅像にいたずらをしたことがあり、いつか警察に捕まると思っている。
- **おどろいたこと**：大都会ベルリン[※1]の高いビル、それと人や車の数の多さ。

あらすじ

少年探偵の合言葉は「エーミール!」

お母さんから預かったお金を、ベルリンに住むおばあさんに届けることになったエーミール。おばあさんにわたすお金と電車賃、合わせて140マルクの大金を持って汽車に乗りこみます。汽車の中の個室では、グルントアイスと名乗る山高帽をかぶったあやしげな男とふたりきり。眠ってしまうと危ないと思うものの、ついウトウトしてしまい、目が覚めたときには上着の内ポケットに入れていたお金がなくなっていました。山高帽の男・グルントアイスにお金を盗まれたと思ったエーミールは、ホームに彼の姿を見つけるとあわてて追いかけ、カフェで見張ることにします。

そこでエーミールは、町のガキ大将グスタフという少年に出会います。事情を知ったグスタフは、20人ほどの仲間を集めて作戦会議を開き、手分けしてグルントアイスの跡をつけることにします。そして、彼がホテルに泊まったことを突き止めると、子どもたちは、知恵をしぼって作戦を立て、おどろくようなやり方で犯人を追いつめていきます。子どもたちの活躍は新聞にも取り上げられ、エーミールらは一躍ヒーローになるのでした。

教授　**ディーンスターク**　**グスタフ**

男の子たち
リーダーのグスタフをはじめとするベルリンに住む少年たち。特技をいかして、エーミールが盗まれたお金を取り戻せるよう協力する。

ポニー・ヒュートヒェン
ベルリンに住むエーミールのいとこ。エーミールの身に起こったことを知り、自転車に乗って駆けつける。

おばあさん
ティッシュバイン夫人の母親。エーミールの父の死後、ベルリンに引っ越した。

ティッシュバイン夫人
エーミールの母親。夫が亡くなってから、美容師をしながらエーミールを育てている。一方で、ベルリンに暮らす母親にも仕送りをしている。

作品名：『エーミールと探偵たち』　作者：エーリヒ・ケストナー　初出：1928年　【本作の出典】『エーミールと探偵たち』（池田香代子訳、岩波少年文庫、2000年）

「待て、きったないやつ」エーミールはつぶやいた。
「ぜったい、つかまえてやる！」
エーミール

山高帽の男

グルントアイスと名乗るあやしい男。エーミールがベルリンに向かう汽車で一緒になった。でたらめな話をしたり、エーミールになれなれしくチョコレートをくれたりする。

お金を盗まれたことに気づいたエーミールは、警察に届けようとして思いとどまります。やがて汽車はベルリン市内にある「動物公園」駅に到着します。そのとき、ホームに黒い山高帽を見つけたエーミールは、あわてて汽車をおり、山高帽の男を追いかけます。しかし、ようやく追いついたと思ったら人違い。山高帽をかぶっている人は、あっちにもこっちにもいたのです。エーミールはトランクを引きずりながら人の波をかきわけ、すばしこく進みます。そしてとうとう、グルントアイスを発見すると、見失わないように跡を追うことにします。

作者のエーリヒ・ケストナーについて

ドイツの詩人、作家。1899年、ドイツの古都ドレスデンに生まれる。父親は腕のいい鞄職人で母親も裕福な職人の家の出身だったが、大量生産の時代の波にのまれ、一家は余儀なく苦しい生活を送る。ケストナーは教員を目指して教員養成学校に入るが、卒業後は教師にならずに大学へ進学。在学中、新聞の編集委員をしながら詩や舞台批評を発表し、大学卒業後はベルリンで、新聞や雑誌に演劇批評を書いた。初詩集の出版後すぐに、出版社の社長エーディト・ヤーコプゾーンの勧めで子ども向けの探偵小説も書き始め、『エーミールと探偵たち』を発表。本作は好評を博し、その後も『飛ぶ教室』（1933年）ほか多くの児童向け小説を執筆し、児童文学作家として世界的に有名になった。1974年に死去。

エーリヒ・ケストナー

※1　第２次世界大戦より少し前のころのベルリンの街がこの物語の舞台。

『古時計の秘密』
ナンシー・ドルー

わたしはナンシー・ドルー。
現役高校生で、学校ではみんなの人気者。困っている人を見るとほうっておけない性格のため、事件に巻きこまれて危ない目にあうこともありますが、知恵と勇気、そして弁護士である父親ゆずりの推理力で事件を鮮やかに解決します。

プロフィール

- **年齢**：18歳。
- **居住地**：アメリカの架空の町、リバーハイツ。
- **家族**：父は、地元で名の知れた弁護士。
- **性格**：好奇心旺盛。
- **推理のスタイル**：鋭い観察眼とひらめきで、解決の糸口を見つけ出す。
- **解決した主な事件**：「幽霊屋敷の謎」「ライラック・ホテルの怪事件」など。

あらすじ　遺言書のかくし場所はどこ？

ナンシーはドライブ中、川に転落した少女ジュディを助け、彼女の親がわりのターナー姉妹に会います。彼女たちはこれまで、親戚の裕福な老人クローリー氏から援助を受けて生活していましたが、クローリー氏が亡くなり、遺産はすべて欲張りなトプハム一家が相続してしまったため、お金に困っていました。同じくクローリー氏に助けてもらっていた歌手志望の少女アリソンとその姉グレース、農場を営むマシューズ兄弟に会ったナンシーは、クローリー氏が生前、彼らに遺産をわたすと言っていたことを知り、「クローリー氏はみんなに遺産がわたるよう遺言書をつくり直し、どこかに隠したのでは」と考えます。そして、クローリー氏と親しくしていた老女アビーから、クローリー氏が持っていた小さな手帳に、遺言書のかくし場所の手がかりが記されていることを打ち明けられます。アビーの話からその場所を推理したナンシーは、ひとりで手帳を探しに向かいます。しかし、そこには悪い泥棒たちがいて、ナンシーはクローゼットの中に閉じこめられ、絶対絶命のピンチにおちいってしまいます。

ハンナ
ドルー家の家政婦。ナンシーには母親がわりになってくれている女性。

カーソン・ドルー
ナンシーの父親で、弁護士。仕事で複雑な問題にぶつかると、ナンシーに意見を求めることがある。

アリソン
両親を亡くし、姉とふたりで暮らしている。すばらしい歌の才能があり、クローリー氏から音楽への道を支援するといわれていた。

ターナー姉妹
ジュディの大おば。ドレスの仕立てで収入を得ているが、お金が足りなくなると古い家具を売ってしのいでいる。クローリー氏は父方の親戚にあたる。

ジュディ
幼いころに両親を事故で亡くし、ターナー姉妹に育てられている。川へ転落したとき、ナンシーに助けられた。

作品名：『古時計の秘密』　作者：キャロリン・キーン　初出：アメリカで1930年に発表　【本作の出典】『古時計の秘密』（渡辺庸子訳、創元推理文庫、2007年）

姉との会話で、イザベルの声がはっきりとこう言ったのだ。
――「あの遺言書」
とたんに、ナンシーの探偵魂が目を覚まし、興奮で鼓動が早くなった。

エイダ
イザベル
ナンシー
トプハム家の姉妹

欲張りで、地元の嫌われ者一家の娘たち。姉のエイダはナンシーの高校の同級生。嫉妬深く、学校で人気のあるナンシーを目の敵にしている。

ナンシーは有名な音楽家にアリソンを紹介し、いつかレッスンを受けられるようにすると約束します。そのためには遺言書を探し出さなければなりませんが、それは解決の糸口が見えない大問題でした。しかも、新しい遺言書はトプハム家によって破り捨てられているかもしれません。しかし、気分転換に出かけた公園で、トプハム家の姉妹の会話を思いがけなく耳にしたナンシーは、まだトプハム家の人びとが新しい遺言書を見つけ出すことができず、その存在に気をもんでいることを知ります。そしてナンシーは、次の一手を思いつきます。

作者のキャロリン・キーンと「ナンシー・ドルー」シリーズについて

「キャロリン・キーン」は、児童文学者のエドワード・ストラテマイヤー(1862～1930年)が、「ナンシー・ドルー」シリーズを書くときに使ったペンネーム。彼女は子どものための探偵小説を出版する団体を設立し、複数のペンネームを用いて多くの作品を発表してきた。「少女探偵ナンシー・ドルー」シリーズは、長年アメリカで親しまれてきた国民的な児童向け探偵小説。日常生活の中で起こる小さな事件や謎をおとな顔負けの行動力で解決する快活な主人公の姿や、残酷なシーンがないことなどが子どもたちの人気を呼んだ。1930年にエドワードが没すると、娘のハリエットをはじめ何人もの作者がこのペンネームを引き継いでシリーズを続け、現在に至るまで170作品以上が発表されている。

次の事件でナンシーは「幽霊屋敷の謎」にいどむ

『青銅の魔人』
小林少年

少年探偵団
明智小五郎氏が指揮
チンピラ別働隊

ぼくは、小林芳雄。
名探偵として有名な明智小五郎の助手で、少年探偵団の団長としても活躍しています。明智先生と一緒に、すばやい行動力とちみつな推理力を発揮して数々の事件を解決し、人びとに恐れられている怪人二十面相とも勇敢に戦います。

プロフィール

- **年齢**：12歳ぐらい。
- **出身**：場所は不明だが実家は新聞販売店をしていた。
- **居住地**：先生の明智小五郎宅に同居。
- **家族**：両親は他界しているが、いとこがふたりいる。
- **特技**：探偵の仕事で使う変装術。
- **推理のスタイル**：少年探偵団などの仲間と協力し合って事件の情報を集め、犯人の行動を突き止める。
- **解決した主な事件**：「吸血鬼」「怪人二十面相」などの事件。

あらすじ　時計ばかりを盗む魔物の正体とは

ある冬の夜、東京の有名な宝飾店で、懐中時計などを根こそぎ盗むという強盗事件が起こりました。さらに後日、町外れの時計塔の時計が盗まれます。目撃者によると、犯人の顔は青銅でできた仮面のようで、手や指は鉄でできていたというのです。町では、時計を盗む青銅の機械人間のうわさがたちまち広まりました。

こうした事件ののち、「皇帝の夜光の時計」という家宝を持つ手塚家に、この青銅の魔人から犯行予告が届きます。家の主人の手塚龍之助は、息子昌一とともに名探偵の明智小五郎をたずね、助けを求めます。その日の夕方、明智探偵は警視庁の中村係長と一緒に手塚家を訪れますが、手塚家の人びとや警察官8人が見張るなか、すでに屋敷には魔人が現れたというのです。そして、魔人は家宝のある蔵に現れると、明智探偵の目の前で時計を盗み、消えうせます。小林少年とチンピラ別働隊の活躍で、逃げた魔人を追いつめることに成功しますが、小林少年と手塚家のふたりの子どもたち、そして手塚龍之介までもが、魔人にとらわれてしまいます。そのころ、明智探偵は、ある確信をもって手塚家の林の中にある古井戸を調べていました。

手塚昌一
手塚龍之助の長男。13歳。雪子という8歳の妹がいる。

手塚龍之助
「皇帝の夜光の時計」を所有する手塚家の主人。戦前はたいへんな金持ちだったが、5年あまり戦地で苦労し、帰ってきてからは、財産といえば、広い屋敷と時計ぐらい。

明智小五郎
数々の難事件を解決した名探偵。怪人二十面相は永遠のライバル。

中村善四郎
明智小五郎といろいろな事件で協力し合う警視庁捜査課の係長。明智探偵を信頼している。手塚龍之助とも知り合い。

作品名：『青銅の魔人』　作者：江戸川乱歩　初出：雑誌「少年」1949年1月号～12月号に連載　【本作の出典】『青銅の魔人』（ポプラ文庫、2008年）

煙突の頂上に腰かけ、二本の金属の足をブランブランさせ、両手を空ざまにひろげて、おどかしつけるようなかっこうで下界をにらみつけ、例のキーッ、キーッという、いやな叫び声をたてています。

手塚家から時計を盗んだ青銅の魔人は、誰もいない家の外にフワリと現れます。しかし、そこには小林少年とチンピラ別働隊の仲間が張りこんでいて、魔人を追跡します。魔人は、町から離れた原っぱにある煉瓦小屋に入っていきました。小林少年は、見張りをチンピラたちに任せて、事態を報告しに戻ります。やがて、到着した警察官たちが小屋に向けて拳銃を発砲すると、魔人は小屋の煙突をつたって上へと逃げます。頂上に着いた魔人に向け、警察は消防のポンプ車で放水しました。水を受けた魔人は恐ろしい音を立てて地面に落ち、機械のからだは木っ端みじんに壊れてしまいます。この騒ぎのなか、小林少年の姿が消えていました。

作者の江戸川乱歩※1について

＊本書 34～35、第 2 巻 36～37 ページも参照。

1894 年、三重県に役所勤めの父のもとに生まれる。本名は平井太郎。早稲田大学卒業後は、貿易会社や古本屋など、さまざまな職業を経験した※2。『二銭銅貨』（1923 年）が「新青年」編集長の森下雨村に認められ文壇にデビュー。1925 年に明智小五郎が登場する『D 坂の殺人事件』『心理試験』『屋根裏の散歩者』など人間の心の奥深くをのぞくミステリーや、『人間椅子』（1925 年）『陰獣』（1928 年）など、怪奇色の強い作品を発表する。その後は、『怪人二十面相』(1936 年) など、少年探偵団が活躍する児童もので人気を集めた。大正から昭和にかけて約 130 作品を発表し、日本の近代的な推理小説の礎を築き、戦後は推理小説の評論集『幻影城』（1951 年）なども発表した。1965 年、70 歳で死去。

江戸川乱歩

※1　江戸川乱歩のペンネームは、乱歩が心酔していたアメリカの作家エドガー・アラン・ポーの名をもじったもの。
※2　鳥羽造船所、大阪毎日新聞広告部に勤務するなど十数種の職業を転々とする経歴をもつ。

『まだらの紐』
シャーロック・ホームズ

わたしは、シャーロック・ホームズ。
大学時代、唯一の友人だったヴィクターの父親が関係する事件の謎を解明したことから、私立探偵になりました。外国からも事件解決の依頼が舞いこむこともあり、名探偵と呼ばれています。

プロフィール

- **年齢**：1854年1月生まれ説が有力で、この「まだらの紐」事件が起きた1883年4月現在は29歳。
- **出身**：イングランド北方、ヨークシャー州。
- **居住地**：イギリス、ロンドンのベーカー街221Bのアパート。大家はハドスン夫人。
- **同居人**：親友であるワトスン。
- **家族**：両親と7歳年上の兄マイクロフト。独身。
- **趣味**：バイオリン、武術。
- **推理のスタイル**：天才的に鋭い観察眼から推理を組み立て、事件現場を見てその裏付けをとる。
- **解決した主な事件**：「グロリア・スコット号」「緋色の研究」「四つの署名」「ボヘミアの醜聞」「バスカヴィル家の犬」「赤毛連盟」「踊る人形」などの事件。

あらすじ　謎のことば「まだらのひも」とは？

冬の早朝、ひとりの女性がホームズのもとへ突然やって来ました。名前はヘレン・ストナー。その様子にただならぬ気配を感じたホームズは、女性が義父であるロイロット博士の屋敷で暮らしていること、2年前、結婚を間近に控えた双子の姉ジューリアが、「まだらのひも」という謎のことばを言い残して変死したことを聞き出します。さらに、ヘレンがパーシー・アーミティッジと結婚することを決めたとたん、彼女の寝室横の壁工事が始まり、亡くなった姉の部屋で休むことになったというのです。そして、姉が生前に話していた口笛が聞こえたため、あわてて屋敷を抜け出し、ホームズのところに駆けこんだと訴えました。

不可解で陰湿、しかも急を要しそうな事件の真相を探るため、ホームズとワトスンはロイロット博士の屋敷へと向かいます。ジューリアの寝室を見せてもらったホームズは、ヘレンにいくつかの指示を与え、ワトスンとともに屋敷の向かいにある宿屋で夜を待ちます。時計がちょうど11時を知らせたとき、合図のあかりが灯ります。ふたりは宿を出て屋敷に急ぐのでした。

ジョン・H・ワトスン

ホームズの親友。軍医としてアフガニスタン戦争に従軍経験がある。ともにいた約8年の間にホームズは70あまりの事件を解決、ワトスンがそのてん末を書きとめている。

グリムズビー・ロイロット博士

インドで医師として開業していたころにヘレンたちの母ストナー夫人と結婚。夫人の死後はストーク・モーランにある先祖伝来の屋敷に引きこもっている。相当なかんしゃくもち。

ヘレン・ストナー

義父のロイロット博士と同居。姉ジューリアとは双子である。まだ30歳代だが、若白髪で疲れ果てている様子。

ジューリア

ヘレンの姉。2年前、結婚式の2週間前に30歳で死亡。

作品名：『まだらの紐』　作者：アーサー・コナン・ドイル　初出：イギリスの雑誌「ストランド・マガジン」1892年2月号　【本作の出典】『シャーロック＝ホームズの冒険 下』（平賀悦子訳、偕成社、1983年）

その音をきいた瞬間、ホームズがベッドからとびのいた。そして、マッチをすると、気がくるったように、ステッキで呼び鈴のつなを打ちまくった。

「見えるだろ、ワトスン。」

ホームズ

ワトスン

ヘレンは、姉の部屋にこもって寝たふりをし、博士がその隣に位置する自分の寝室に入り、寝床に着いたことを確認すると、約束どおり窓際にあかりを置きました。それを見たホームズたちは、ヘレンと入れかわり姉の寝室に身をひそめます。暗闇のなかで4時間近く過ぎたころ、博士の部屋に通じる換気孔のあたりがピカッと光り、油の燃えるにおいがただよいました。誰かが隣の部屋でランタンをつけたのでしょう。さらに30分待っていると、やかんから湯気が吹き出すような、かすかな音が聞こえてきました。その瞬間、ホームズは行動に出ました。

作者のアーサー・コナン・ドイルについて

1859年、スコットランドの首都・エディンバラで生まれる。1876年、エディンバラ大学医学部に進学。弟妹が多く裕福ではなかったため、アルバイトなどをしながら卒業する。捕鯨船やアフリカ航路船の医師として過ごしたのち、診療所を開いたが、患者が来ないので、小説を書いては雑誌社に送っていた。鋭い観察眼をもつ探偵[※1]シャーロック・ホームズを主人公にした長編『緋色の研究』(1887年)と『四つの署名』(1890年)を発表後、小説に専念する。1891年から雑誌に短編を連載し、ホームズの人気に火がついた。ミステリーだけでなく他分野の作品も執筆し、実際のえん罪事件をあばくなどその活動は多彩。1902年にナイトの称号を与えられた。1930年に71歳で死去。

アーサー・コナン・ドイル

※1　シャーロック・ホームズのモデルは、大学時代の恩師であるベル博士だといわれている。鋭い観察眼をもつ毒舌家だった博士は、患者を眺めただけで職業や病気についていいあてることも少なくなかったという。

『黄色いへやの恐怖』※1

ルルタビーユ

牧師館の美しさも、花園
かがやきも、ありし日とかわらず
10月23日

ぼくは、ルルタビーユ。
といっても、これはあだ名。「レポック」紙に勤める青年記者です。駆け出しのころから数々の犯罪事件に取り組み、名推理を披露してきました。その活躍が世の評判になっています。

プロフィール

- **年齢**：事件当時は 18 歳。
- **本名**：ジョゼフ・ジョゼファン。
- **あだ名の由来**：フランス語で「おまえの玉をころがせ!」という意味。ルルタビーユの頭が玉のように大きく丸々としていることからつけられた。
- **経歴**：ロシアで数年暮らしたことがある。16 歳 6 カ月で新聞記者になる。奇怪な事件を解決する糸口を見つけたため、自社の手柄にしたい編集長によって記者として採用された。
- **性格**：気のよい、ほがらかな好青年。どんな気むずかしい人も彼には心を許してしまう。
- **秘密**：両親のこと。サンクレールが聞こうとすると、聞こえないふりをしてその場を離れてしまう。
- **関わった主な事件**：「黒衣婦人の香り」「ロシア陰謀団」「水中の密室」などの事件。

あらすじ　黄色い密室で起きた奇怪な事件

10月26日の朝、「わたし」(サンクレール)の部屋に新聞をにぎりしめたルルタビーユが飛びこんできました。新聞の見出しには「グランディエ城館の惨劇」と出ています。25日の午前12時半、有名な原子物理学者のスタンジェルソン博士の邸宅兼実験室である城館で愛娘が襲われ、瀕死の重傷を負ったこと。現場となった「黄色いへや」と呼ばれる令嬢の自室は完全な密室だったこと。犯人はわからないことなどが、使用人であるジャック老人の証言とともに書かれていました。

さっそく、ふたりは城館に向かいます。令嬢の婚約者である、大学教授のローベル・ダルザック氏らに会って話を聞くためでした。しかし、名探偵フレデリック・ラルサンが調査のため先に乗りこんでいました。警察は門番夫婦を逮捕しますが、ルルタビーユとラルサンは「真犯人は別にいる」と推理対決を始めます。

一命を取りとめた令嬢がなにも覚えていないと証言するなか、ダルザック氏に不利な証拠が次々と出てきます。事件の数日後、あやしげな人物が城内の廊下でこつぜんと消える怪現象が発生。やがて犠牲者が出てしまいます。

スタンジェルソン博士
原子物理学者。アメリカ人を先祖にもつフランス人。アメリカにいたとき、莫大な遺産を受け取り、フランスに帰国後、城館を買って研究を始めた。

スタンジェルソン嬢
博士の娘。幼いころに母親が亡くなり、20 歳のときから 15 年間、博士の研究助手兼主婦の役目を果たしてきた。若いころから「絶世の美人」と評判。事件の数週間前にダルザックと婚約した。

ローベル・ダルザック
パリのソルボンヌ大学の物理学教授。スタンジェルソン家とは親しく、7 年も前から令嬢に求婚しつづけていた。

フレデリック・ラルサン
パリ警視庁きっての名探偵。「造幣局金塊事件」や「世界銀行金庫やぶり事件」などを解決したため、その名は世界中にとどろきわたっている。

作品名：『黄色いへやの恐怖』　作者：ガストン・ルルー　初出：フランスの新聞「イリュストラシオン」に 1907 年 9 月から 12 回にわたり連載　【本作の出典】『黄色いへやの恐怖』(磯村淳訳、岩崎書店、1985 年)

「この《黄色のへや》は密室だった。金庫みたいに密閉されていた。これは、じつにみごとな、じつに奇怪な事件だよ！」

ルルタビーユ

ジャック老人

スタンジェルソン家の使用人。事件が起きたとき「黄色いへや」に駆けつけ、博士や門番とともに令嬢を見つけた。「黄色いへや」が密室だったことを証言した人物でもある。

わたし（サンクレール）

ルルタビーユの親友である弁護士。事件が起きるたび、たまり場になっているカフェでルルタビーユと意見を交換するうち、彼のかしこさや人柄にひかれ、法律上の知識を授けることもあるような間柄になった。

ルルタビーユたちは「黄色いへや」に入ります。ジャック老人がよろい戸を開けて入れた外の光で、部屋の中のむごたらしい様子が浮かび上がります。黄色の絨毯を敷きつめた部屋には鉄製のベッドがあり、そのまわりには家具などが散乱していました。壁やドアには血だらけの手の跡があり、その5～6センチ下には弾丸の跡も残っていました。ルルタビーユはベッドの下にもぐりこみ、床板を1枚ずつ調べた結果、完全な密室だったことを知ります。彼のポケットには、ベッドの下から見つけたひと筋の金髪をはさんだ紙きれが入っていました。

作者のガストン・ルルーについて

ガストン・ルルー

1868年、パリに住む、裕福なノルマンディー人夫妻のもとに生まれた。12歳で寄宿学校へ。18歳でパリの法学校に入学し、2年後に卒業。その翌年には弁護士資格を取得した。月刊紙「エコー・ド・パリ」の記者シャルヴェーと知り合い、記事を書くようになる。ちなみに『黄色いへやの恐怖』はそのシャルヴェー氏に捧げられている。

日露戦争の最前線での取材も経験したのち、1908年9月から翌年にかけて『黄色いへやの恐怖』の続編となる『黒衣婦人の香り』を連載。1909～10年には代表作となった『オペラ座の怪人』を発表した。『ロシア陰謀団』(1913年)など、長期滞在したロシアを舞台にした作品もある。1925年ごろから体調を崩すようになり、1927年4月、手術後に尿毒症のため死去した。

※1　原題は『Le mystère de la chambre jaune』であるが、邦題には本作の『黄色いへやの恐怖』のほかに『黄色い部屋の謎』『黄色い部屋の秘密』などがある。

『813』

アルセーヌ・ルパン

わたしは、アルセーヌ・ルパン。怪盗紳士と呼ばれています。名前や身分はもちろん、容姿も変えて、金銀財宝を華麗に盗んできました。わけあって4年ほど表舞台から姿を消していましたが、また、パリに戻ってきました。

プロフィール

- **年齢**：事件当時は38歳。
- **居住地**：神出鬼没で、いくつもの隠れ家を持っている。
- **特技**：変装、腹話術。
- **弱点**：女性に弱く、すぐ恋に落ちてしまう。
- **愛用品**：上物の葉巻。
- **性格**：頭脳明晰、決断力と行動力にあふれている。
- **信念**：不死身の肉体に大胆不敵な魂を宿すこと。人を殺さないこと。
- **関わった事件**：「奇岩城」「金三角」「虎の牙」「カリオストロ伯爵夫人」などの事件。

あらすじ　華麗な怪盗のルパンが殺人犯？

パリの一流ホテル「パレス・ホテル」の415号室で、大富豪ケッセルバッハ氏の死体が発見され、そのシャツには血に染まったアルセーヌ・ルパンの名刺がピンでとめられていました。ルパンの最初の殺人なのか？警視庁国家警察部のルノルマン部長が到着し、捜査が始まったやさき、犯人のものと思われるLとMの頭文字がついたはがねのシガレットケースを拾ったというボーイが、先まわりした犯人に殺されてしまいます。さらに、富豪の秘書の遺体も発見されます。しかし、ルノルマン部長は「この連続殺人事件の犯人はルパンではない」と断言し、真犯人を追い始めます。

ケッセルバッハ氏はある雄大な計画のために、ひとりの男を探していました。その手がかりは「APOON」ということばと、青い縁取りのあるレッテルに書きこまれていた「813」の数字。これらはいったいなにを意味するのでしょうか。そして、ルパンからルノルマン部長宛の公開状が新聞に載り、そこには自分の潔白とともに、事件解決に協力すると書かれていました。謎が謎を呼ぶ展開のなか、3人を殺した犯人と、計画の謎を追っていたルノルマン部長が失踪します。

ルドルフ・ケッセルバッハ
ダイヤモンド王とも呼ばれる億万長者。所持していた、書類の入ったなめし革の袋と黒檀の小箱をねらわれた。

ルノルマン部長
国家警察部長。ルパンの好敵手と目されている。

ケッセルバッハ夫人
夫の莫大な財産を相続し、未亡人ホームに移り住む。

パーベリ少佐
事件当日ホテルに滞在していたが、その後ゆくえをくらました。名前を変え、ジュヌビエーブや、ケッセルバッハ夫人に近づく。

セルニーヌ公爵
30代後半。パリのロシア人グループに属する有名人。部下を使って、警察の動きを監視している。ジュヌビエーブの母親を知っている。

ジュヌビエーブ・エルヌモン
18歳。子どものために無料の私立学校を経営。ケッセルバッハ夫人に援助金を頼む。祖母のエルヌモン夫人とは血のつながりがない。

作品名：『813』　作者：モーリス・ルブラン　初出：フランスで1910年に発表　【本作の出典】『813』（大友徳明訳、偕成社文庫、2005年）

けれども刑事がルパンの名刺を出して見せたときには、さすがのルノルマン部長も身をふるわせて、小さな叫び声をあげた。

「ルパンか！」

813
ケッセルバッハ
L.M
グレル刑事
ルノルマンの部下。
ルノルマン部長

ケッセルバッハ氏の死体のワイシャツには、べったりと血のついた1枚の名刺がピンでとめられていました。グレル刑事から報告を受けたルノルマン部長はその名を見ておどろきの声を上げます。死んだと思われていたルパンが姿を現し、しかも信念に逆らってはじめて殺人まで犯したのか？　思いをめぐらすルノルマン部長は「捜すんだ」とグレル刑事に命じます。それはまるで狩人が猟犬に命令を与えたような光景でした。グレル刑事は、その声に駆り立てられてあちこちを調べまわり、部長はバルコニーに出て、窓やドアの掛け金を確認していきました。

作者のモーリス・ルブランについて

1864年、フランスのノルマンディー地方の都市・ルーアンに生まれる。同郷出身の小説家・フローベルと少年時代から親しくしていたといわれている。その影響もあって、新聞記者をするかたわら、1892年の夏から小説を書き始める。しかし、評判を得られず、貧乏暮らしを続けていた。

1905年、雑誌「ジュ・セ・トゥ」編集者の依頼を受けて、アルセーヌ・ルパンを主人公にした短編を創作。当時大ヒットしていた、シャーロック・ホームズの対極に位置する、紳士的な盗賊という設定が人気を呼ぶ。短編作品をまとめた『怪盗紳士』(1905～07年)が爆発的ヒット作となり、その後『奇岩城』(1908～09年)などを発表。文学振興に貢献したことを称えられ、後年、レジオン・ドヌール勲章を受けている。1941年に死去。

モーリス・ルブラン

※1　もともと『813』は、「アルセーヌ・ルパンの二重生活」と「アルセーヌ・ルパンの3つの犯罪」の2部に分かれていて、この『813』は第1部である。すべての謎は、さらなる冒険が待つ第2部の『続813』で解き明かされる。

『青い十字架』[※1]

ブラウン神父

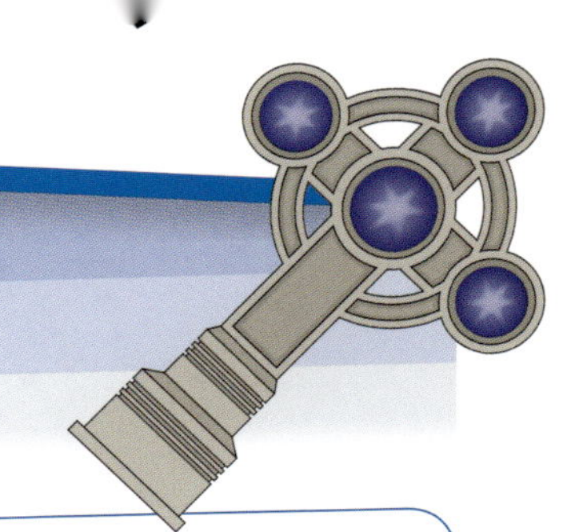

わたしは、ブラウン神父。
ローマ・カトリックのお坊さんです。風変わりで、世間知らず。ふだんは内気なのんびり屋さんですが、ひとたび事件に巻きこまれると、直感を発揮して謎を解き、いつも、その場に居合わせる人をあっと言わせます。

プロフィール

- **職業**：ロンドンで働く神父。
- **外見の特徴**：まん丸な童顔で、ぱちくりした澄んだ目。小さなからだに不似合な大きな帽子をかぶり、いつも古いこうもりがさを持っている。
- **前職**：ハートルプールという町で副司祭を務めていたことがある。
- **性格**：風変わりで、無口。思いやりが深い。
- **推理のスタイル**：科学的に分析するのではなく、鋭い直感力で、いつの間にかトリックを見破る。
- **解決した主な事件**：「奇妙な足音」「飛ぶ星」「折れた剣」「三つの兇器」「イズレイル・ガウの誉れ」「通路の人影」「犬のお告げ」などの事件。

あらすじ 奇妙な神父を追いかけた先には？

　パリ警察の主任であり、世界にその名をとどろかせている名探偵のヴァランタンは、ロンドンで開催中のカトリックの聖体大会に、大盗賊のフランボウがまぎれこむのではないかと予想し、ロンドンに向かいます。フランボウはずばぬけて背が高く、どんなに変装しても見つけられるはずでしたが、ヴァランタンが乗った汽車の中には、それらしい人物はいませんでした。ヴァランタンは、小柄な神父が、車中の人びとに向かって、自分はこの茶色の紙包みの中に「青い宝石つきの」本物の銀でできた品物を持っているから用心しなくてはいけない、とわざわざ口にしているのを見て、神父の不用心さにあきれてしまいます。

　ロンドンに着いて街を探しますが、フランボウの手がかりはありません。ふと立ち寄った食堂で、遅い朝食を注文し、コーヒーに砂糖を入れようとすると、容器には塩が入っていました。食堂の給仕に問いただすと、おそらくふたり連れの神父がすりかえたのではないかと言います。ふたりの妙な行動を聞いたヴァランタンは、道で出会った警官とともに、跡を追います。

ヴァランタン

パリ警察の主任であり、世界的に有名な名探偵。セーヌ川沿いの奇妙な造りの邸宅に住んでいる。着実な論理、明晰な思考によって理性的に事件を解決しようとする。

フランボウ

ベルギー、オランダ、フランスの3国の警察に追われている国際的な大盗賊。身長6フィート4インチ（約193センチ）の大男。大胆不敵で、腕力が強い。もっとも得意とする犯罪は、天才的なひらめきのある大じかけな窃盗。

作品名：『青い十字架』　作者：ギルバート・キース・チェスタトン　初出：イギリスで1910年に発表　【本作の出典】『ブラウン神父の童心』（中村保男訳、創元推理文庫、1982年）

「なんだね、その二人の神父ってのは？」
「壁にスープをひっかけた二人連れの神父なんで」と給仕。

フランボウ
ブラウン神父
ヴァランタン

給仕は、白い壁紙についたどす黒いしみを指さして、神父がスープを壁にぶちまけたことを話しました。ヴァランタンが怪訝そうな表情で店の主人のほうを見ると、主人も説明を始めました。ふたり連れの神父はスープを注文し、ひとりは勘定を払って表に出ていきましたが、残りのひとりは何分かぐずぐずして、店を出る寸前に半分飲みかけのスープ茶椀を取り上げて、わざと壁にスープをひっかけていったのだというのです。主人はふたりを捕まえようと追いかけましたが、角を曲がっていくのを見届けるのが精いっぱいだったと言いました。

作者のギルバート・キース・チェスタトンについて

1874年、ロンドンに生まれる。聖ポール公立学校から、ロンドン大学付属のスレイド美術学校へ進み、画家を志したが、在学中の21歳のとき評論家としてデビュー。その後、政治、随筆、詩、文芸評論などを書き、イギリスを代表する評論家となる。『奇商クラブ』（1905年）、『木曜の男』（1908年）などのミステリアスな作品も書き、『ブラウン神父の童心』をはじめとするブラウン神父が活躍する5冊の短編集は、奇想天外なトリック、風刺とユーモアで当時のイギリスで絶大な人気を博した。トリック創案にかけては、古今の推理作家の中でも卓越した存在とされる。並はずれた巨体の持ち主で、J・D・カーのギデオン・フェル博士（本書30ページ）のモデルといわれる。1936年に死去。

G・K・チェスタトン

※1 『青い十字架』は、ブラウン神父を主人公にした最初の短編集『ブラウン神父の童心』の第1話に収録され、ブラウン神父とフランボウの出会いが描かれている。

『僧正殺人事件』

ファイロ・ヴァンス

わたしは、ファイロ・ヴァンス。
地方検事を務める友人、マーカムからの依頼を受け、非公式で殺人事件の捜査に協力しているアマチュア探偵です。人間の心理を見抜き、数多くの難事件を解決しています。

プロフィール

- **居住地**：叔母の莫大な遺産を相続して、アメリカ合衆国ニューヨーク東38丁目の高級アパートで暮らす。同居人は執事兼料理人のカーリ。ヴァンスの活躍を記述するのは「わたし（ヴァン・ダイン）」。
- **性格**：探究心と知的冒険心が旺盛な皮肉屋。
- **経歴**：ハーバード大学で心理学を学び、オックスフォード大学院で修士号を取得。
- **趣味**：世界の美術品収集。スポーツも得意でとくにフェンシングは達人級。
- **好きなもの**：トルコ・コーヒー、特別注文のタバコ、愛車はイスパノ・スイザ（当時の高級車）。
- **推理のスタイル**：「内的分析法」という独自の心理分析で真相にせまる。
- **解決した主な事件**：「ベンスン殺人事件」「カナリヤ殺人事件」「グリーン家殺人事件」など。

あらすじ

童謡に似せた事件の真相とは？

長い休暇から帰ってきたヴァンスは、友人のマーカムからある殺人事件を解決する手伝いを頼まれました。殺されたのは、コクレーン・ロビンという青年で、胸を矢で射抜かれていました。ヴァンスはすぐに、この事件がマザー・グース（イギリスやアメリカで古くから親しまれている童謡）の一節に不思議と似ていることに気づきました。

ヴァンスたちはすぐに、世間で大騒ぎにならないよう、事件を公表しないままで捜査を開始します。ところが、新聞社に送られた謎の手紙によって、事件のことが広く知れわたってしまうのでした。手紙の差出人は「僧正」という謎の人物でした。そしてその後、第2、第3の殺人事件が起こります。そのいずれもが、マザー・グースの一節に似せられたもので、事件が起こるたびに、「僧正」から新聞社に謎めいた手紙が届くのです。世間はこの事件のうわさでもちきりとなりました。事件のカギを握る「僧正」とは何者なのか。そして童謡に似せられた事件の意味とはなんなのか。ヴァンスたちは少しずつ、その謎にせまっていきます。

バートランド・ディラード
有名な数理物理学の元教授。ふさふさの白髪と鋭い目つきが特長で、慎重な性格。最初の事件が起きた館の主。

シガード・アーネッソン
数学の准教授。バートランドの愛弟子で、のちに養子となった。ヴァンスたちに対抗して、事件の謎解きにいどむ。

ベル・ディラード
バートランド元教授の姪。テニスやアーチェリーに打ちこむ活動的な女性で、アーチェリー・クラブの発起人。

作品名：『僧正殺人事件』　作者：S・S・ヴァン・ダイン　初出：アメリカで1929年に発表　【本作の出典】『僧正殺人事件』（日暮雅通訳、創元推理文庫、2010年）

だあれが殺したコック・ロビン？
「それは私」とスズメが言った――
「私の弓と矢でもって　コック・ロビンを殺したの」

わたし（ヴァン・ダイン）
ヴァンスの友人にして法律顧問。彼の活躍を記述し、本にまとめている。

ジョーゼフ・コクレーン・ロビン
第1の被害者。ベルが発起人を務めるアーチェリー・クラブのメンバー。

ジョン・F・X・マーカム
ニューヨーク州地方検事。ぶっきらぼうな性格ながら行動的で、ヴァンスとは 15 年来の友人。

ファイロ・ヴァンス

電話で事件のことを聞いたヴァンスが自分のアパートの屋上にあるルーフバルコニーで待っていると、地方検事のマーカムがやって来ました。マーカムは、殺害されたのはコクレーン・ロビンという男で、最後に一緒にいたのはスパーリングという男であったことなど、事件について改めて説明しました。ヴァンスが、マザー・グースの一節に似ていることを指摘しましたが、マーカムはまともに取り合おうとはしませんでした。するとヴァンスは、ドイツ語の辞書をわたし、スパーリングという名前はドイツ語ではシュペルリンクと発音すること、そしてその意味は「スズメ」だということを説明します。そして、ヴァンスが誰もが知っている童謡の一節を口ずさんだとき、「わたし」はまるで目に見えない幽霊がいるような寒気を覚えるのでした。

作者のS・S・ヴァン・ダインについて

　1888 年ヴァージニア州生まれ。本名はウィラード・ハンティントン・ライト。ハーバード大学で特別聴講生として英文学を学ぶ。1907 年「ロサンゼルス・タイムス」紙の文芸欄を担当、1912 年から 1914 年まで文芸雑誌の編集長を務める。その後、ヨーロッパでの美術研究を経て、演劇評論などの執筆活動を行うがあまり売れず、生活苦から体調を崩し療養生活に入る。療養期間中に 2000 冊にもおよぶ推理小説を読みあさり、自身で推理小説を書くことを決意。S・S・ヴァン・ダインという新しい筆名で、1926 年に『ベンスン殺人事件』を発表。以降、全 12 作品のシリーズを発表し、そのすべての作品で、ファイロ・ヴァンスが主人公として描かれており、うち 5 作は映画化もされた。1939 年に心臓発作で死去。

S・S・ヴァン・ダイン

『バンガロー事件』
ミス・マープル

わたしは、ジェーン・マープル。
ロンドン郊外の村に住む素人探偵です。村からほとんど一歩も出たことがなく、村の人をよく観察したり、村の情報を収集することが趣味。知人たちと「火曜クラブ」※1を結成し、火曜の夜に迷宮入り事件について推理し合っています。

プロフィール

- **年齢**：1895年生まれ。
- **外見の特徴**：うす青い目をした、穏やかで物静かな雰囲気の老婦人。
- **現在**：ロンドンから1時間ほどのセント・メアリ・ミード村で、古めかしい家に住んでいる。
- **性格**：記憶力や想像力、直感力にすぐれている。事件を推理するときは、鋭い目つきに変わる。
- **趣味**：村の人びとを観察すること。編み物。
- **推理のスタイル**：事件の内容を聞くだけで、真犯人を推理する。現場に出かけることなく、村で起きた過去の出来事を参考に解決の糸口を見つける。
- **解決した主な事件**：「牧師館の殺人」「金塊事件」「スリーピング・マーダー」などの事件。

あらすじ　迷宮入り事件を推理し合う楽しみ

バントリー家で開かれている「火曜クラブ」で、女優ジェーン・ヘリアは、友だちの女優の身に起こったことだと言って、あるバンガローで起きた盗難事件について話し始めます。しかし、話を聞いているみんなは、その友だちというのは、ジェーン自身のことだと気づいています。ジェーンは、事件についてあまりうまく説明できませんが、みんなに助けられながら話を続けます。バンガローに置いてあったみごとなエメラルドが入っていた宝石箱が盗まれたこと、そして宝石箱を盗んだのは自称脚本家のフォークナーで、警察に逮捕されたものの、証拠がなかったために釈放されたこと……。しかし、ミス・マープルは「今度ばかりは、参考になるような村の実例も思い出せませんね」と、解決の見当がつかないと話します。話し手のジェーンも真相は知らないと言い、一同は困惑します。やがてミス・マープルは、ジェーンの耳もとに二言三言ささやき、帰っていきました。ジェーンはおどろいた顔をして、そのうしろ姿を見送りました。ミス・マープルは、真相を突き止めたのでしょうか？

ミセス・バントリー
バントリー大佐の妻。ふくよかで感じのよい婦人。庭の花を世話するのが趣味で、平凡な毎日をなげく。

バントリー大佐
軍人。がっしりした体格で、赤ら顔。

サー・ヘンリー・クリザリング
前警視総監。バントリー大佐の旧友。口ひげがあり、身だしなみのよい世慣れた紳士。ミス・マープルを尊敬している。ジェーン・ヘリアの話をみんなに整理して話す。

作品名：『バンガロー事件』　作者：アガサ・クリスティ　初出：イギリスで1932年に発表　【本作の出典】『火曜クラブ』（中村妙子訳、クリスティー文庫、2003年）

「あら！」というびっくりしたような声がジェーンの唇から洩れた――大きな声だったのでみんなが振り返った。
ミス・マープル
ドクター・ロイド
白髪まじりの初老の医者。この5年間、村の病人の治療を一手に引き受けている。
ジェーン・ヘリア
今回の事件の話し手。ロンドンの劇場で観客を夜ごとわかせている女優。背がすらりと高く、色白で、大きな青い目のイギリス一の美女と呼ばれる美貌の持ち主。

ジェーンは誰かが真相を解き明かしてくれると思っていました。しかし、いくつかの仮説は立てられたものの、納得のいく答えは出ませんでした。真相を知らないと言ったジェーンは、みんなからせめられますが、ミス・マープルは、おもしろい話だったとジェーンを慰め、「おやすみなさい」と言って、帰ろうとします。帰り際、ミス・マープルがジェーンに近づいてなにか耳もとにささやくと、ジェーンは、びっくりして大きな声を上げます。みんなが帰ったあと、ジェーンはミセス・バントリーに、ミス・マープルにさっき耳打ちされたことを打ち明けます。

作者のアガサ・クリスティについて

＊本書24〜25、第3巻16〜17ページも参照。

1890年、イギリスのデヴォン州トーキーの中産階級の家庭に生まれる。11歳のとき、父親が亡くなり、経済状態が悪くなるなか、読書と音楽に熱中し、姉の影響で、コナン・ドイルの「シャーロック・ホームズ」シリーズを読み、ミステリーに親しむ。15歳のとき、パリに留学。音楽を学ぶが、才能がないとあきらめて17歳のときに帰国。

1920年、エルキュール・ポワロが活躍する『スタイルズ荘の怪事件』で作家デビューを果たす。クリスティの人気を決定づけたのは、1926年に発表された長編第6作目となる『アクロイド殺し』。同年は、クリスティ本人が9日間失踪したことでも注目された。その後、長編や短編、戯曲など100以上の作品を書いた。1976年、85歳で死去。

アガサ・クリスティ

※1 「火曜クラブ」は、作家や前警視総監、牧師、医師などが火曜日ごとに集まり、かわるがわる迷宮入りの事件を語り、推理をし合う会合。本作収録の『火曜クラブ』は、マープルが登場する13編の連作短編集である。

『オリエント急行※1殺人事件』

エルキュール・ポワロ

わたしは、エルキュール・ポワロ。
イギリスの私立探偵です。これまで数々の殺人事件を解決してきました。殺人を、この世で最大の悪と憎み、自慢の「灰色の脳細胞」を働かせて、どんな難事件も解決します。

プロフィール

- **出身**：ベルギー王国。
- **外見の特徴**：卵型の頭、緑の目、ピンとはね上がった口ひげ、からだは小柄。
- **経歴**：ベルギー警察の名刑事として、ヨーロッパ大陸では有名だった。第1次世界大戦（1914〜18年）のときにイギリスへ亡命。ロンドンで私立探偵となり、第2の人生を歩む。
- **性格**：異常なほど清潔好きで、整頓好き。
- **推理のスタイル**：頭で考えるのがいちばんとみなしていて、あちこちに出かけて人に聞いたりするようなことは好まない。指紋やタバコの灰といった証拠となる手がかりよりも、犯罪の心理を追い求める。
- **口ぐせ**：依頼人には「この偉大なるポワロに任せなさい」と言って胸を張る。
- **解決した主な事件**：「スタイルズ荘の怪事件」「アクロイド殺し」「ABC殺人事件」など。

あらすじ

犯人はまだ同じ列車内にいる！

イスタンブールへの旅行中、急用でロンドンに帰ることになったポワロは、国際列車オリエント急行に乗ります。寒い冬には珍しく、列車は乗客でいっぱいでしたが、知人の国際寝台車会社の取締役であるブックのおかげで、一等車両に乗れることになりました。ポワロは食堂車で、同じ一等車両の乗客であるアメリカの大富豪ラチェットから身の安全の警護を依頼されます。しかし、その人柄に気に入らないものを感じていたポワロは、依頼を断ります。

夜中の12時半ごろ、列車は大雪のためにとまってしまいます。翌朝、ラチェットが自分の寝台で死んでいるのが発見されます。ドアには鍵とチェーンがかかり、窓は開いていて、雪が降りこんでいました。医者のコンスタンチンの検死によると、死んだのは午前1時ごろで、そのからだには、10数カ所もの刺し傷がありました。

ポワロはブックとコンスタンチンとともに、乗客ひとりひとりに話を聞きますが、ラチェットが殺された時刻には全員にアリバイがあります。しかし、ポワロは、残された手がかりや証言から、推理をめぐらすと「あるひとつの結論」に達しました。

メアリ・ハーマイオニー・デベナム
26歳のイギリス人女性。

グレタ・オルソン
49歳のスウェーデン人。

ヒルデガード・シュミット
ドイツ人。ドラゴミロフ皇女のメード。

フォスカレリ
マスターマン
マックイーン
ポワロ
ラチェット
ハバード
ドラゴミロフ皇女
ハードマン

アーバスノット大佐
40〜50歳くらいのイギリス人。

アンドレイ二伯爵夫妻
30歳すぎのハンガリー大使とその妻。

作品名：『オリエント急行殺人事件』 作者：アガサ・クリスティ 初出：イギリスで1934年に発表 【本作の出典】『オリエント急行殺人事件』（茅野美ど里訳、偕成社文庫、1995年）

十二人が席についていたが、ブックがいうように、あらゆる階層と国籍の人びとだった。ポワロは観察をはじめた。

コンスタンチン
ギリシア人の医者。
ピエール・ミシェル
フランス人の寝台車の車掌。勤続15年以上。
アーバスノット大佐
デベナム
オルソン
ヘクター・ウィラード・マックイーン
ラチェットの秘書。アメリカ人の青年。
シュミット
アンドレイニ伯爵夫妻
キャロライン・マーサ・ハバード
アメリカの老婦人。
ナタリア・ドラゴミロフ皇女
ロシアの大金持ちの老婦人。
サイラス・ベスマン・ハードマン
41歳のアメリカ人。タイプライターリボンの出張販売員。
サミュエル・エドワード・ラチェット
60〜70歳くらいのアメリカ人の事業家。
ブック
初老のベルギー人男性。「コンパニー・アンテルナショナル・デ・ワゴン・リ（国際寝台車会社）」の取締役。
エドワード・ヘンリー・マスターマン
39歳のイギリス人。ラチェットの従僕。
アントニオ・フォスカレリ
イタリア人の大男。自動車のセールスマン。
ポワロ

ポワロとブックのテーブルの向かいには、色の浅黒い大柄なイタリア人、きちんとした身なりのやせたイギリス人、スーツを着た大柄なアメリカ人の男3人が座っていました。次のテーブルには、ロシアのドラゴミロフ皇女、もうひとつの大きなテーブルには女性が3人、その次の小さなテーブルにはアーバスノット大佐がひとりで座っていました。反対側の奥のテーブルには、ドイツ人の中年女性、その次のテーブルには美男美女の若い夫妻、あと昼食をとっているのは、ポワロとマックイーンと彼の雇い主のラチェットだけでした。

アガサ・クリスティが生んだ探偵たち

＊本書22〜23、第3巻16〜17ページも参照。

エルキュール・ポワロ（ポアロとも）は、クリスティのデビュー作『スタイルズ荘の怪事件』（1920年）に登場して以来、最後の登場となった1975年発表の『カーテン』まで、数多くの作品で活躍した。イギリスをはじめ、イラク、フランス、イタリアなど各地で起きた事件にもいどんだ。続いて誕生した探偵は、トミー＆タペンス。幼なじみのふたりは、結婚して探偵社を経営する。初登場は1922年発表の『秘密機関』。最終作の『運命の裏木戸』（1973年）では、ふたりとも75歳になっていた。老婦人の探偵ミス・マープルが長編に初登場したのは1930年発表の『牧師館の殺人』。観察力と直感力で謎を解決し、『スリーピング・マーダー』（1976年）まで活躍した。

夫婦探偵のトミー＆タペンス

※1　オリエント急行は、1883年からパリとイスタンブールの間を実際に走っていた国際寝台列車で、1929年には大雪のために立ち往生して乗客がトルコで何日も車内に閉じこめられたこともあった。

『Yの悲劇』
ドルリー・レーン

POISON

わたしは、ドルリー・レーン。
かつては演劇界の帝王と呼ばれましたが、聴力を失ったために引退を余儀なくされました。今は、ニューヨークから数マイル離れた、ハドソン川沿いのお城（屋敷）で、平穏に暮らしています。

プロフィール

- **年齢**：60歳だが、氷のように冷たい水の湖で4マイルも泳げるほど今は健康そのもの。
- **誕生地**：ニューオーリンズの劇場の舞台裏。
- **居住地**：エリザベス調さながらの切妻屋根の建物や広い庭がある、石造りの城ハムレット荘に住む。
- **両親**：ともに俳優。母はドルリーを生んだときに命を落とした。
- **習慣**：使用人をシェークスピア作中の人物名で呼ぶこと。
- **特技**：読唇術。
- **推理のスタイル**：表情と声色を変え、話術も駆使して、証人から事件についての証言を巧みに得て、明晰な分析を行う。
- **解決した主な事件**：「Xの悲劇」「Zの悲劇」などの事件。

あらすじ

呪われた一族を襲う連続事件

ある年の2月2日の午後、ニューヨークのロウアー湾で、トロール船の乗組員たちが腐乱した男性の遺体を見つけました。それは前年末に失踪届が出されていたヨーク・ハッターでした。遺書を確認した警察は自殺と断定します。ハッター家※1は、アメリカ有数の旧家でしたが、「感じの悪い人たち」としても有名でした。アメリカでもっとも裕福な女性とうわさされるハッター夫人は、鉄の意志をもつ女傑として、一家の頂点に君臨しており、ヨークはその夫でした。

2カ月後、ハッター家で奇怪な毒殺未遂事件が起こります。ニューヨーク市警殺人課のサム警視は、元シェークスピア俳優のドルリー・レーンに意見を求めます。ところが、そのまた2カ月後、今度はハッター夫人が殺されたという知らせが届き、レーンは本格的に事件の調査に乗り出します。着目したのは、身体が不自由なゆえにほかの感覚が研ぎ澄まされたルイーザの証言でした。偶然触れた犯人の頬は「すべすべして柔らかかった」ことと、「バニラの匂いがした」の2点でした。捜査が進むハッター家の、無人のはずのヨークの実験室で火災が起こります。

ブルーノ地方検事
ニューヨーク郡の地方検事。レーン氏とは、去年冬に起きた事件でもともに捜査にあたった。

サム警視
怪獣のような風貌の警察官。質実剛健、一本気な性格だが、明晰な頭脳ももっている。

ハッター家

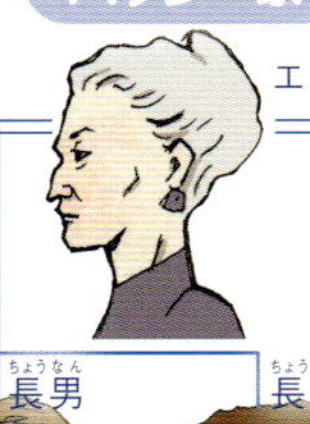

ヨーク
故人。化学者。妻に個性を踏みにじられた哀れな男。

エミリー

前夫

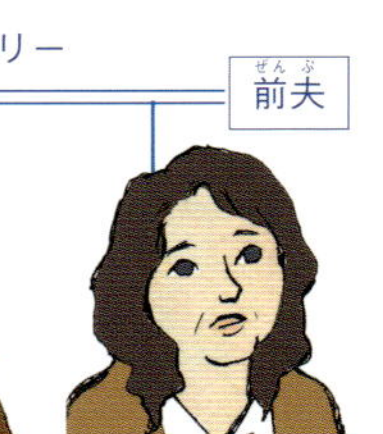

ルイーザ

次女 / 長男 / 長女

ジル
25歳。刺激を求めて堕落した女。

コンラッド
32歳ぐらい。遊蕩児。

バーバラ

次男 / 長男

マーサ

ビリー
4歳。兄のまねばかりする悪ガキ予備軍。

ジャッキー

作品名：『Yの悲劇』　作者：エラリー・クイーン（バーナビー・ロス）　初出：アメリカで1932年に発表　【本作の出典】『Yの悲劇』（越前敏弥訳、角川文庫、2010年）

地の精のように顔を醜くゆがめ、興奮した目にいたずらっぽい決意の色をみなぎらせるや、ジャッキーはグラスを口もとへ運び、どろりとした液体をすばやく飲みこんだ。

バーバラ・ハッター
ハッター夫妻の第一子。独身。身勝手ぞろいのハッター家の中で、唯一人間性を備えている人物。詩人として、文壇で高く評価されている。36 歳。

エミリー・ハッター
ハッター家の女主人。化石のように干からびている容貌で、夫の腐乱死体を見ても動揺を見せない強心臓の持ち主。63 歳。

トリヴェット船長
ハッター家の隣に住む老人。元船長で、ヨーク氏の唯一の友人だった。

ルイーザ・キャンピオン
40 歳。小柄で太っているが、辛抱強く穏やかで善良な女性。生まれつき目が見えず、口もきけない。18 歳のときには聴力も失った。

マーサ・ハッター
コンラッドの妻。ハッター家で暮らすうちつねにおびえた表情を見せるようになった。

ジャッキー・ハッター
コンラッドとマーサの長男。激しやすくわがままで、絶えず騒ぎを起こしている。13 歳。

ヨーク・ハッターが死体で見つかってから2カ月あまりたった4月の午後。食堂のテーブルに置かれた飲み物を、孫のジャッキーがいたずら心から横取りして飲んでしまいます。それは、ハッター夫人の娘ルイーザ・キャンピオンが昼食後に飲むはずのエッグノッグでした。

ハッター夫人がどなりましたが、その瞬間、ジャッキーはグラスを落とし、両手をけいれんさせながら床に崩れ落ちました。ジャッキーの母のマーサは失神。我に返ったハッター夫人がジャッキーの口をこじ開けて指を入れ、毒物を吐かせます。

作者のエラリー・クイーンについて

＊本書 28～29 ページも参照。

エラリー・クイーンは、ユダヤ系アメリカ人、フレデリック・ダネイ（1905～82年）とマンフレッド・B・リー（1905～71年）の、いとこ同士のふたりのペンネームである。また、本作は「バーナビー・ロス」という別のペンネームで発表。「エラリー・クイーン」も「バーナビー・ロス」もこのふたりのペンネームであると明かされたのは、本作が世に出てから８年後のことだった。合作で、ペンネームもふたつというミステリー顔負けのスタイルに、ファンはおどろいた。

エラリー・クイーンは雑誌編集者、ミステリー研究家でもある。1941年創刊のミステリー専門誌「エラリー・クイーンズ・ミステリ・マガジン（EQMM）」では、新人の育成と埋もれた名作を発掘した業績が高く評価されている。

フレデリック・ダネイ（右）とマンフレッド・B・リー

※1　世間はハッター家を「いかれた帽子屋」と呼ぶが、これは『不思議の国のアリス』に出てくる奇妙な帽子屋（hatter）になぞらえたもの。もとは英語の古い慣用句「mad as a hatter」（帽子屋のようにいかれている）に由来する。

『エジプト十字架の秘密』※1

エラリー・クイーン

わたしは、エラリー・クイーン。推理小説作家の私立探偵です。父が殺人捜査課の警視のため、難事件解決に関わるようになりました。大学時代の恩師・ヤードリー教授と一緒に、犯人がしかけたトリックを解明します。

プロフィール

- **容姿**：背が高い青年。トレードマークは鼻メガネ。
- **居住地**：事件当時はニューヨークで、父と暮らしていた。
- **父親**：リチャード・クイーン警視。ニューヨーク市警殺人捜査課の課長。
- **持ち物**：小さな道具箱。父にはバカにされているが、針や工具などを入れた小さな箱をつねに持ち歩いている。
- **愛車**：とんでもないスピードが出る、オープンタイプの中古レーシングカー、デューセンバーグ。
- **くせ**：鼻メガネのレンズをハンカチでぬぐうこと。動揺や満足、または興奮したときに必ずしてしまう。
- **解決した主な事件**：「ローマ帽子の秘密」「フランス白粉の秘密」「ギリシャ棺の秘密」などの事件。

あらすじ　T字形にされた死体の意味とは？

クリスマスの朝。ウェスト・ヴァージニアの田舎町で、奇妙な遺体が発見されました。T字路のT字形の案内標識に磔にされた、首を切られてT字形に見える死体でした。被害者の学校長アンドルー・ヴァンの家の扉には血文字のT。名探偵エラリー・クイーンはT字をエジプト十字架と解釈し、犯人を捕まえようと推理を試みますが確証を得られないまま、事件は迷宮入りとなってしまいます。

その半年後、今度はロングアイランドで、第2の殺人が起こったことをヤードリー教授が知らせてくれました。絨毯輸入業を営む大富豪のトマス・ブラッドが、やはり頭部を切断され、トーテムポストにT字形に磔にされていたというのです。トマスが残したメッセージから次にねらわれるのは、旅行家のスティーブン・メガラだと考えたエラリーたちは、彼のもとへ向かいます。しかし、調べが進むうち、被害者たちとメガラとのおどろくべき関係が明らかになります。そして、T字が意味するものとは？　エラリーたちは、メガラを守り犯人を逮捕することができるのでしょうか。

ヤードリー教授

エラリーがハーバード大学に在籍していたときの担当教官。専門は古代史。長身で手足が長く、あごにひげを生やしているため、しばしば「リンカーン似の人」と表現される。

アイシャム

ナッソー郡の地方検事。第2の被害者トマスの殺害現場でエラリーと合流し、ヴォーン警視とともに捜査を進める。

ヴォーン

ナッソー郡警察の警視。

ヴェリャ・クロサック

ホルアクティ老人につきそう神官。足を引きずっている。クリスマスイブまではふたりは行動をともにしていた。

スティーブン・メガラ

世界を巡る旅行家。「ヘリーン」と名づけたクルーザーであちこちに航海に出かけている。

作品名：『エジプト十字架の秘密』　作者：エラリー・クイーン　初出：アメリカで1932年に発表　【本作の出典】『エジプト十字架の秘密』（越前敏弥・佐藤桂訳、角川文庫、2013年）

「タウ十字架やT十字架だけがその呼び名ではありません。ときには、こう呼ばれることも」
──ひと呼吸置いてから、静かに言い放った。「エジプト十字架です」。

アンドルー・ヴァン
第1の事件の被害者。人口200人しかいないアロヨ村の学校長。勤務態度は模範的で、教会には通っていなかったが、村人の評判は悪くなかった。
ホルアクティ
事件の証人のひとり。裸体主義者集団を率い、エジプト太陽神を名乗る、気のふれた老人。本名はストライカー。昔は世界的に有名なエジプト学の学者だった。
エラリー・クイーン
検死官たち

第1の殺人の被害者アンドルー・ヴァンの検死審問が始まりました。第1発見者や町長、巡査らが次々と証言台に立ち、生前の暮らしぶり、アルメニアからの帰化市民であることなどが明かされます。同時に、事件後にゆくえ不明になっている使用人のクリングが大変な力持ちであったこと、事件前夜に足の悪い男が現場近くを訪れていたことなども証言されました。自らを太陽神と名乗るおかしな老人が妄言をはなつ様子を見ていたエラリーは、磔と古代エジプトの奇妙な事実に気づきます。そして、T字十字架のもつ意味を満員の法廷で言いはなちました。

エラリー・クイーンの生んだ探偵たち

＊本書26～27ページも参照。

筆名と同じ名の若き青年エラリー・クイーンが活躍するのは、本作をはじめとする「国名」シリーズで、『ローマ帽子の秘密』（1929年）に初登場した。一方、もうひとつの筆名バーナビー・ロス名義の「悲劇」シリーズの主人公はドルリー・レーンで、60歳すぎの元俳優。初登場は『Xの悲劇』（1932年）。物語の舞台はどちらもアメリカだが、エラリーが典型的なアメリカのインテリ青年であるのに対し、レーンはイギリス風の渋みのある人物に設定されている。エラリーもレーンも手がかりから真相を論理的に解き明かしていく推理に卓越しており、とくにレーンは老俳優ならではの経験や観察力が特徴的である。33作品に登場するエラリーは、後期では中年になって人間味あふれる探偵へと成長する。

エラリーが初登場する『ローマ帽子の秘密』

※1　発表されるやいなや、全米ベストセラー1位を獲得した長編ミステリー。1932～33年は、クイーンの脂がもっとも乗っていた時期といわれており、本作は「国名」シリーズの最高傑作と見なされている。

『三つの棺』

ギデオン・フェル博士

わたしは、ギデオン・フェル博士。
ずんぐりとしたからだと山賊のようなひげは、およそ探偵らしくないと思われるかもしれませんが、密室での殺人など、不可能といわれるさまざまな事件を解決してきた名探偵です。

プロフィール

- **住まい**：ロンドン、アデルフィ・テラス1番地。
- **肩書**：哲学博士、法学博士、王立歴史学協会会員、スコットランド・ヤード（ロンドン警視庁）顧問。
- **性格**：陽気でおしゃべり好き。
- **お気に入りの服装**：だぶだぶのマント、シャベル帽、リボンつきのメガネ、手にはステッキ。
- **好きなもの**：フランス料理、バンド音楽など。お酒はビールが好き。
- **推理のスタイル**：すぐれた観察眼と想像力で、物的証拠をもとにトリックを解き明かす。
- **解決した主な事件**：「帽子収集狂事件」「アラビアン・ナイト殺人事件」など。

あらすじ

密室*1での殺人事件を解き明かせ！

ある日、仲間とお酒を飲んでいるグリモー教授の前にピエール・フレイという男が現れます。フレイは「三つの棺」「弟がお前を訪ねる」という謎のことばと名刺を残して立ち去りました。脅迫するような態度が気になった仲間がフレイのことを調べると、棺を使ったトリックが得意な奇術師だということがわかりました。

数日後、フェル博士はその話を人づてに耳にします。グリモー教授のことを知っていた博士はいやな予感がして、すぐに教授の屋敷へと車を走らせました。そこで見つけたのは、銃で胸を撃たれて息も絶え絶えのグリモー教授の姿でした。事件が起きた教授の部屋は、逃げた形跡も隠れる場所もない密室で、直前にたずねてきたという仮面の男の姿は消えていました。仮面の男はフレイだったのでしょうか？　しかし、フレイは大通りのまん中で、魔術で殺されたとしかいいようのない状況で遺体で発見されます。大通りでの事件でありながら、犯人の姿は誰にも目撃されていませんでした。ふたつの事件の謎と、幽霊のように消えてしまった犯人を追ううちに、フェル博士は「三つの棺」ということばにまつわる秘密と、事件の真相を知るのです。

シャルル・ヴェルネ・グリモー教授
大英博物館で無給の職につき、趣味で原始魔法の研究をしている。30年近くイギリスに住むが、過去は不明。

ピエール・フレイ
アカデミー劇場で雇われている奇術師。得意技は姿を消すトリック。

ロゼット
教授の娘。ロンドン大学に通う学生で弁論部に所属している。

スチュアート・ミルズ
教授の秘書。約4年間、著作の手伝いなどをしている。

作品名：『三つの棺』　作者：ジョン・ディクスン・カー　初出：アメリカで1935年に発表　【本作の出典】『三つの棺』（加賀山卓朗訳、ハヤカワ・ミステリ文庫、2014年）

「そうとも、きみ、何を仰天しているんだね。男がここから足跡ひとつ残さずに出ていったのは明らかだ。同じように入ってきたことがわかったからといって、なぜ動揺しなければならない？」

仮面の男
グリモー教授が撃たれた夜にたずねてきた謎の男。長く黒いコートに茶色の帽子。大きく口が開いた張り子の仮面をつけていた。
ハドリー警視
ロンドン警視庁犯罪捜査部の警視。フェル博士と協力して、数々の難事件を解決している。
テッド・ランポール
フェル博士の友人。グリモー教授の飲み仲間であるボイド・マンガンとも知り合い。
マダム・デュモン
グリモー教授の館で働く家政婦。教授とは古くからの知り合いで、一時は恋人だったこともあった。
ギデオン・フェル博士

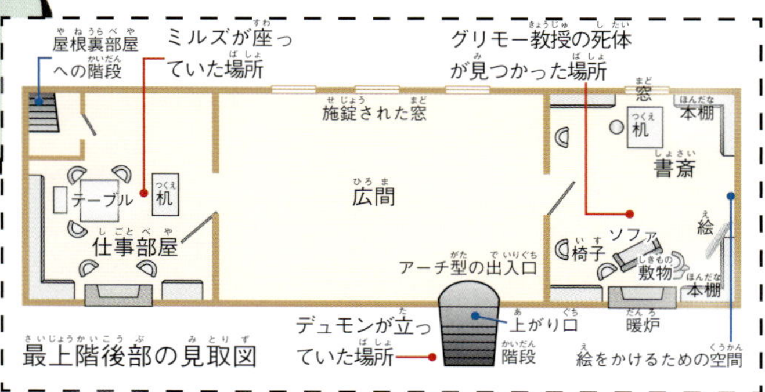

屋根裏部屋への階段
ミルズが座っていた場所
グリモー教授の死体が見つかった場所
施錠された窓
窓
本棚
机
書斎
テーブル
机
広間
絵
仕事部屋
ソファ
椅子
敷物
本棚
アーチ型の出入口
暖炉
デュモンが立っていた場所
上がり口
階段
絵をかけるための空間
最上階後部の見取図

グリモー教授が撃たれた現場に出くわしたフェル博士たちは、事件の前後になにがあったのか、屋敷にいた者たちから聞き出しました。そして、9時45分ごろにひとりの男がたずねてきたことを知りました。すると、ひとつの謎が浮かび上がってきたのです。そのあたりでは雪が降っていて、やんだのが9時30分ごろでした。それにもかかわらず、屋敷の玄関先にも、舗道にも、降り積もった雪には足跡ひとつ残ってはいなかったからです。

ハドリー警視はおどろきました。犯人が殺人の現場にやって来るのも、出ていくのも、不可能な状況に思えたからです。それは警視にとって考えられないものでした。しかし、フェル博士はまったく動じてはいませんでした。

作者のジョン・ディクスン・カーについて

＊第2巻22～23ページも参照。

1906年、アメリカのペンシルヴェニア州生まれ。ハヴァフォード・カレッジを中退後、パリに遊学。帰国後の1929年、中編『グラン・ギニョール』を発表。1930年、同作品に加筆して長編に仕立てた本格ミステリー『夜歩く』を刊行。以後、作家として活動を始める。1933年にイギリスに移住。同年、名探偵フェル博士の初登場作となる『魔女の隠れ家』を発表。一方で、1934年、カーター・ディクスンという筆名で『プレーグ・コートの殺人』を書き上げ、フェル博士とならぶ名探偵ヘンリー・メリヴェール卿を生み出した。

第2次世界大戦を機に再びアメリカに移住してからは歴史ミステリーも数多く執筆。1963年、MWA巨匠賞[※2]を受賞。1977年、70歳で死去。

J・D・カー

※1　本作には、事件の真相が語られる前に、「密室講義」という章があり、フェル博士が、探偵小説で「密室」とされる状況の一般的なしかけと、発展形態について講義をする。　※2　MWAは「アメリカ探偵作家クラブ」の略称。

『長いお別れ』
フィリップ・マーロウ

わたしは、フィリップ・マーロウ。
気になることは、たとえ儲けがなくても徹底的に調べとおす。そんな粘り強さが身上の私立探偵です。
外出時は、トレンチコートに帽子姿と決めています。

プロフィール

- **年齢**：事件が起きた当時は42歳。
- **居住地**：アメリカ合衆国、ロサンゼルス、ローレル・キャニオン地区（オフィスはロサンゼルス・ブルーヴァードのカヘンガ・ビル6F）。
- **経歴**：ロサンゼルス地方検事局の調査員として働いていたが、上司に反抗してクビになり、その後私立探偵として事務所を開設。
- **性格**：芯が強く、誰に対してもものおじしない。
- **趣味**：チェス、読書。
- **好きなもの**：タバコとお酒。お酒はギムレットをよく飲んでいる。
- **推理のスタイル**：細かな疑問を見逃さず、時間をかけて調べ、真相にせまる。
- **解決した主な事件**：「大いなる眠り」「さらば愛しき女よ」「高い窓」などの事件。

あらすじ

親友が背負う悲しい過去とは？

　ある夜、フィリップ・マーロウは酔っぱらいの青年テリー・レノックスと知り合います。不思議と気の合ったふたり。しかし、間もなくテリーは妻殺しの罪をかけられ、マーロウは彼の逃亡を手助けすることになります。無事にテリーを飛行場へと送り届けたマーロウでしたが、その後、テリーが逃亡先で自殺したこと、そして妻のシルヴィアを殺したのは自分だと告白した手紙が残されていたことを知らされます。

　マーロウは、テリーの自殺に疑問をいだきました。ところが、なぜかギャングや警察から、調査をしないように圧力をかけられてしまうのです。そんなときに、マーロウのところに、アイリーンという美しい女性から仕事の依頼が舞いこみます。それは、彼女の夫で有名な小説家ロジャー・ウェイドに関することでした。最近になって急にロジャーが妙な行動を取り始めたので、その原因を調べてほしいというのです。テリーの自殺と、ロジャーの奇行。そして、シルヴィアの姉リンダまでがマーロウの前に現れます。やがて、テリーをめぐる人間関係が明らかになっていき、マーロウは、事件の根底にある真相へとせまっていきます。

ハーラン・ポッター
億万長者。リンダ、シルヴィア姉妹の父。テリーには一目置いていた。
シルヴィア・レノックス
テリーの妻。
リンダ・ローリング
シルヴィアの姉。
アイリーン・ウェイド
ロジャーの妻。マーロウが「夢の女」と思ったほど美しい。
メンディ・メネンデス
ギャングのボス。テリーと戦友で、彼に命を救われた。
ロジャー・ウェイド
作家。アルコール中毒。

作品名：『長いお別れ』　作者：レイモンド・チャンドラー　初出：アメリカで1953年に発表　【本作の出典】『長いお別れ』（清水俊二訳、ハヤカワ・ミステリ文庫、1976年）

「のれよ」と、私はいった。「君が彼女を殺したんじゃないことはわかってる。ぼくはだからここに来てるんだ」

フィリップ・マーロウ

テリー・レノックス

シルヴィアの夫。顔の右側に整形手術の跡があり、本人は「名誉の傷」という。はっきりした声で礼儀正しく話す。

マーロウとテリーは、チュアナ空港へとやって来ました。風の強い空港では、すでに飛行機のプロペラがまわっていて、数人の旅客が搭乗するところでした。ここに到着するまでに、マーロウはなにが起きたのかを聞こうとはせず、テリーもまた、具体的なことは話しませんでした。しかし、マーロウには、どんなことが起きていたのか、おおよその察しはついていました。

「申し訳ない」と、テリーは静かに言いました。「だが、君はまちがってる。ぼくはゆっくり歩いていく。ぼくを止める時間は充分ある」

テリーは階段の下で振り返りました。しかしふたりとも、なんの合図もせず、手も振りませんでした。そして彼は飛行機に乗りこんだのです。

作者のレイモンド・チャンドラーについて

1888年、アメリカのイリノイ州シカゴに生まれる。7歳のときにイギリスに渡り、ロンドン郊外で少年期を送る。1907年にイギリス海軍省に入るが、半年で退職。1912年、渡米。第1次世界大戦のときには、カナダ軍やイギリス空軍に入隊した経験ももつ。

1933年に最初の短編『脅迫者は射たない』を発表。1939年、最初の長編作品にして、フィリップ・マーロウの初登場作となる『大いなる眠り』を刊行。以後、すべての長編作品で、フィリップ・マーロウの活躍を描き、ハードボイルド小説[※1]のスタイルを確立した。『長いお別れ』はマーロウを主人公とする長編シリーズ第6作にあたり、MWA長編賞受賞作となっている。1959年、70歳で死去。

レイモンド・チャンドラー

※1　ハードボイルドは「非情」と訳され、ミステリーでは、推理をするよりも行動派の探偵が活躍する作品分野をいう。代表的な作家に、チャンドラーのほか、ダシール・ハメットやロス・マクドナルドらがいる。

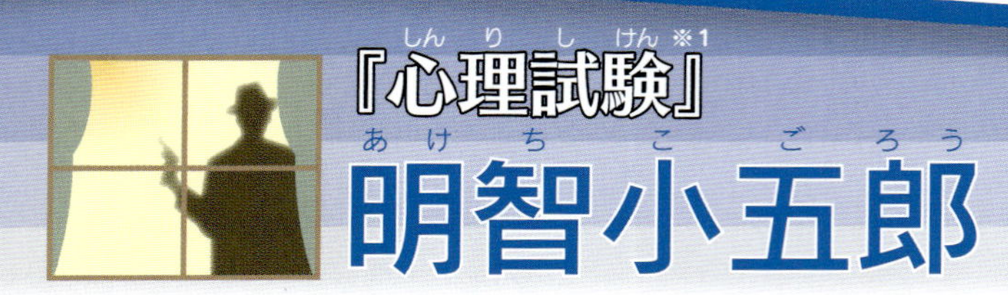

『心理試験』※1

明智小五郎

CLINICAL
PSYCHOLOGY

わたしは、明智小五郎。
理論的な推理力が持ち味の探偵です。数年前、「D坂の殺人事件」を解決し、その後もいくつかの難事件に関わりました。警察関係者や、一般の人びとにも、探偵としての才能を認められるようになっています。

プロフィール

- **年齢**：事件当時は30歳前後。
- **住まい**：東京のとある町の煙草屋の2階に間借り住まい。
- **家族**：事件当時は独身。なお、親、兄弟姉妹については、いるのかいないのか、いっさい不明である。
- **嗜好品**：葉巻タバコとアイスコーヒー。
- **くせ**：多少興奮すると、頭を指でかきまわす。
- **特技**：柔道三段。拳銃の腕前も百発百中。
- **推理のスタイル**：犯人の行動を細かく分析し、罠を設けて犯人を追いこむ。また得意の変装術を用いて犯人やその関係者に接近する。
- **解決した主な事件**：「D坂の殺人」「屋根裏の散歩者」「黄金仮面」「黒蜥蜴」「一寸法師」などの事件。

あらすじ　天才的な犯罪計画を見破れるか

大学生の蕗屋清一郎は優秀でしたが、授業料の支払いのための内職仕事で、読書や思索の時間を失われることに大いに悩んでいました。ある日、蕗屋は大学の同級生で親友の斎藤勇が、大金をかくし持っているといううわさのある老婆の家に下宿していることを知ります。蕗屋がその金を自分のものにできないかと考えていたところ、斎藤から金のかくし場所を聞いてしまいます。そのときから半年間、蕗屋は、そのかくし金を奪うための完全犯罪を考え抜きました。そして、下見も完了し、ついに決行の時機を得たのです。彼は老婆がひとりの日をねらい、老婆を殺し金を奪うことに成功しました。なんの証拠も残さずに……。さらに、金は半分をそのまま残し、奪った金は大胆にも財布に入れ、落とし物として警察に届けたのです。

その後、殺された老婆の第一発見者で残された金に手を出した斎藤と、財布の一件で蕗屋にも嫌疑がかかります。事件を担当した予審判事の笠森氏は、このふたりの嫌疑者に心理試験を行うことにします。試験の結果は斎藤に不利なものでしたが、笠森判事は納得できません。そこへ旧知の明智小五郎がたずねてきます。

老婆
60歳近い、官吏の未亡人。蕗屋の友人・斎藤の下宿先の大家。大金をかくし持っているといううわさがある。

斎藤勇
蕗屋の大学の同級生で友人。官吏の未亡人の家に下宿している。

蕗屋清一郎
内職などに明け暮れ授業料の支払いにも苦労する大学生。まれに見る秀才で、非常な勉強家だが、未来ある有能な青年のためならおいぼれ老人を犠牲にしてもよいというような考えをもち、恐ろしい悪事を実行する。

作品名：『心理試験』　作者：江戸川乱歩　初出：雑誌「新青年」1925年2月号　【本作の出典】『江戸川乱歩短篇集』（千葉俊二編、岩波文庫、2008年）

蕗屋はいささか得意になって、弁護士と信ずる男の頼みを承諾した。

「ありがとう。」明智はモジャモジャに延ばした頭を指でかき回しながら、嬉しそうにいった。

蕗屋清一郎
明智小五郎
笠森判事

この事件の予審判事。素人心理学者であり、優秀な人材。明智小五郎とも知り合い。容疑者である蕗屋清一郎を「心理試験」という当時では新しい手法で調べる。

心理試験の結果を見た明智小五郎の提案で、笠森判事は、斎藤の有罪が確定したことを理由に、蕗屋清一郎を呼び出し、取り調べのおわびとして紅茶などで彼をもてなしました。同席した明智は、笠森判事の知り合いの弁護士として蕗屋に紹介されます。明智の巧妙な話術で、蕗屋は事件と自分が関係がないことにすっかり安心していました。夕方になり帰りじたくを始めたとき、雑談のなかで、明智は蕗屋にある質問をします。得意気にその質問に答えた蕗屋。しかし、それは彼の犯罪を証明する決め手となる事実だったのです。

戦後の江戸川乱歩の活動について

＊本書10〜11、第2巻36〜37ページも参照。

戦後、江戸川乱歩は、少年向けの小説を書く一方で、おもに評論家やプロデューサーとして活動した。また、1946年に宝石社が創刊した探偵小説誌「宝石」に大きく協力し、同社の経営が悪化すると、1957年から自身が編集長となり、私財を投じて建て直しをはかった。横溝正史や坂口安吾などの作品を掲載したほか、毎年懸賞小説を募集し、新人作家にプロデビューの道を開いた。1947年には、現在の日本推理作家協会の前身となる日本探偵作家クラブの創立に尽力している。乱歩の寄付金をもとに、1954年に制定された江戸川乱歩賞は、第3回目からは公募賞となり、受賞者の中には今日のわが国の推理小説界をリードする著名作家に成長した人も多く、事実上、推理作家の登竜門となっている。

第48回までは江戸川乱歩賞正賞にシャーロック・ホームズ像が贈られた。

※1　心理試験は、たくさんの質問項目の中に、捜査中の犯罪に関係ある単語をまぜて次々に質問し、連想する単語を答えさせ、答えるまでの反応時間を測定したり、脈拍を記録したりして、犯罪との関係を調べるためのもの。

『獄門島』

金田一耕助

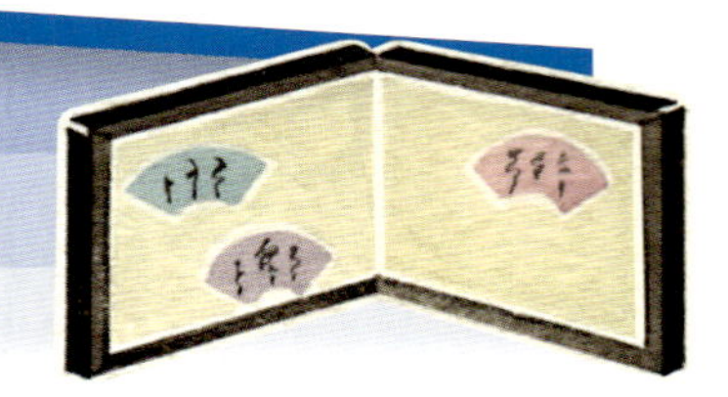

わたしは、金田一耕助。
私立探偵です。髪の毛はのばし放題のモジャモジャ頭。羽織り・袴を身につけた風采は時代遅れで、会う人びとからは、あやしく思われています。
戦前が舞台の「本陣殺人事件」を解決したことで、名前を知られるようになりました。

プロフィール

- **年齢**：事件当時は 33 歳。
- **出身**：東北地方。
- **居住地**：本事件直後から東京の京橋の焼け跡に残った三角ビルの最上階の部屋を、事務所兼自宅とするようになった。
- **趣味**：映画や絵画の鑑賞、とくに銀幕の大スター鳳千代子が大好きで、戦前からの熱心なファン。
- **推理のスタイル**：事件にからむ人脈、人間像を丹念に検証し、警察の捜査の結果と総合して判断をくだす。
- **解決した主な事件**：「本陣殺人事件」「八つ墓村」「三つ首塔」「犬神家の一族」などの事件。

あらすじ　俳句に見立てた連続殺人の悲劇

1946（昭和 21）年、戦地から日本へ戻った金田一耕助は、戦友だった鬼頭千万太の最期を復員船の中で看取ります。金田一は千万太から、ある遺言を託され、瀬戸内海に浮かぶ彼の故郷「獄門島」へと向かっていました。船に同乗した獄門島にある千光寺の和尚の了然の案内を得て、金田一は、千万太の実家で島いちばんの網元である鬼頭家へ向かいます。鬼頭家で応対したのは、分家の娘の早苗で、家のすべてを彼女が仕切っていました。また、この家には、千万太の妹である月代、雪枝、花子という 3 人の娘がいましたが、精神的に幼い娘たちは色恋ごとに熱中し、千万太の死にもまったく興味がないかのようでした。

獄門島に滞在することになった金田一は、鬼頭家が本家（本鬼頭）と分家（分鬼頭）に分かれていて、対立関係にあることや、本家の当主与三松は気が狂っていて長年座敷牢にいること、千万太のいとこで分家の一が、近々復員してくることなど、島の中の複雑な人間関係を知ることになります。

そして、千万太の通夜の夜、千光寺の梅の古木からまっさかさまにつるされた花子の死体が発見されたのです。それは、芭蕉の俳句に見立てた連続殺人の幕開けでした。

磯川常次郎
岡山県警の警部。獄門島に捜査の応援に来る。「本陣殺人事件」で金田一と知り合い、その推理、活躍に敬服する。まじめで仕事熱心な人柄。

竹蔵
網元である本鬼頭家の番頭的な存在。潮つくり（漁のときに潮の加減を見る役）の名人として島では重要な人物。

鬼頭早苗
分鬼頭家の娘で、千万太のいとこ、一の妹。本鬼頭家に住み、聡明で男顔負けの統率力で本家を切り盛りしている。復員してくる兄を待っている。

作品名：『獄門島』　作者：横溝正史　初出：雑誌「宝石」に 1947 年 1 月から 17 回にわたり連載　【本作の出典】『獄門島』（角川文庫、1971 年）

彼はいまはじめて、自分をここへつれてきた使命の、容易ならぬことを知ったのである。

鬼頭嘉右衛門
本鬼頭家先代、故人。
お勝
嘉右衛門の妾。
鬼頭与三松
本鬼頭家当主、精神病を患い座敷牢にいる。
村瀬幸庵
漢方医。
了然
千光寺和尚。
荒木真喜平
獄門島村長。
鬼頭志保
儀兵衛の妻。
鬼頭儀兵衛
分鬼頭家当主。
鵜飼章三
分鬼頭家の居候、復員軍人。
金田一耕助
鬼頭花子
与三松の三女、16歳。
鬼頭雪枝
与三松の次女、17歳。
鬼頭月代
与三松の長女、18歳。

鬼頭家を訪れた金田一耕助の前に現れた千万太の3人の妹たちは、いずれも舞妓のような華やかな姿で、けらけらと笑いながら部屋に入ってきました。月代、雪枝、花子。美しいのですが、まるで狂い咲きの花のようにどこか普通でない娘たちと対面した金田一は、背筋がゾーッと寒くなるのを感じました。

そして、あの復員船で、亡き戦友の千万太が、苦しい息のなか、死の間際に言い残したことばを思い返していました。「3人の妹たちが殺される……おれの代わりに獄門島へ行ってくれ」。その3人が、今まさに目の前にいるのです。

作者の横溝正史について

1902年、兵庫県神戸市に生薬屋の三男として生まれる。中学を卒業後、銀行に勤務。1924年に薬剤師の資格をとり実家を手伝うが、すでに1921年、雑誌「新青年」に『恐ろしき四月馬鹿』が掲載されていた横溝は、江戸川乱歩の勧めで上京し、博文館に入社。雑誌「新青年」「文芸倶楽部」などで編集のかたわら、探偵小説の翻訳・創作を行った。1934年から終戦ごろまで、肺結核を患い執筆活動も制限される。戦後は、日本の風土、風習をいかした本格的な推理小説を続けて発表。金田一耕助が主人公の『本陣殺人事件』(1946年)で第1回探偵作家クラブ賞を受賞。代表作に『八つ墓村』(1949～51年)、『犬神家の一族』(1950～51年)、『悪魔の手毬唄』(1957～59年)など。1981年、79歳で死去。

横溝正史

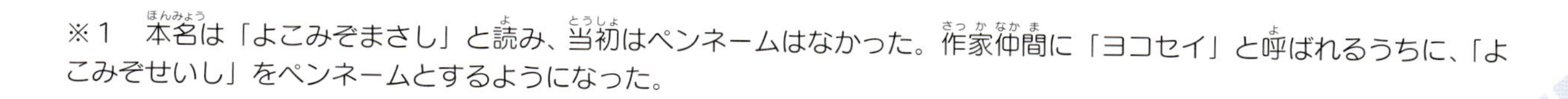
※1 本名は「よこみぞまさし」と読み、当初はペンネームはなかった。作家仲間に「ヨコセイ」と呼ばれるうちに、「よこみぞせいし」をペンネームとするようになった。

『黒いトランク』
鬼貫警部

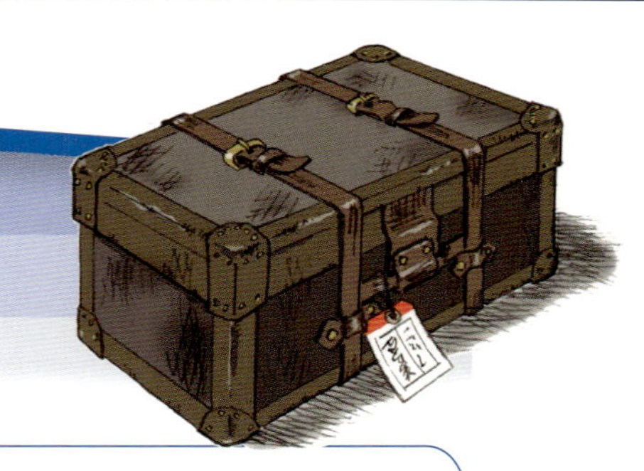

丹那刑事

鬼貫の腹心の部下。捜査ではしばしばコンビを組む。

わたしは、鬼貫警部。
警視庁刑事部捜査一課に所属する警察官です。粘り強くコツコツとアリバイやトリックを解き明かしていきます。丹那刑事を相棒に、鉄道にからむ多くの難事件を解決してきました。

プロフィール

- **年齢**：事件当時は 40 歳前。
- **住まい**：東京の国分寺。
- **家族**：かつての思い人を忘れられず (?) ずっと独身。
- **性格**：地味だがまじめで、粘り強い。
- **好きなもの**：クラシック音楽、ココア。
- **推理のスタイル**：丹念で丁寧な観察眼を支えにして、靴底をすり減らしながら裏付けを重ねてアリバイを崩していく地道なスタイルが特徴。
- **解決した主な事件**：「黒い白鳥」「憎悪の化石」「死のある風景」「風の証言」「砂の城」「準急ながら」「積木の塔」などの事件。

あらすじ　アリバイの鉄の壁は崩せるのか？

朝からどんよりと重苦しくくもった1949年12月のその日、汐留駅にとめ置かれたトランクから、男の腐乱死体が見つかりました。荷物の送り主は、福岡県若松市に住む近松千鶴夫※1。偽名かと思われたその人は実在し、事件解決に走り出したやさき、容疑者の近松が岡山県沖の瀬戸内海で溺死体となって発見されます。容疑者の自殺で事件は一件落着かと思われましたが、近松の妻・由美子はなにか腑に落ちません。考えあぐねた末に彼女がたよったのが、旧知の鬼貫警部でした。

若松へ向かった鬼貫警部は由美子の話を聞き、地元警察とは別に独自に近松の足取りを洗い直していきます。鬼貫にとって、トランクの死体も近松も、どちらも大学の同窓生でした。やがて浮かび上がる数々の事実。複数のトランクの移動、青ずくめの男のＸ氏、立ちふさがる強固なアリバイ……。入念に考えつくされた鉄道トリックの謎と鉄壁と思われたアリバイが、複雑にからまり合った糸が解けるように鬼貫の手で明かされていきます。Ｘ氏の正体は、そして、真犯人は誰なのか。調べを進めるうちに鬼貫はこれまで知らなかった同窓生たちの素顔を見ることになるのでした。

梅田警部補

若松署の警察官。若さにふさわしいハキハキした言動で、若松署での近松事件捜査の中心を担う。

近松由美子

近松千鶴夫の妻。夫の死に疑念をいだき、旧知の鬼貫に相談。鬼貫がかつて思いを寄せた人。

馬場番太郎

トランク詰めの被害者。福岡県柳川に在住していた。

蟻川愛吉

鬼貫と同じ法科出身でありながら、今は鉄工場の経営者。学生時代はサッカー選手。

膳所善造

黒いトランクの持ち主。画家。学生のころから変わらず、喜怒哀楽の情をなんのてらいもなく顔に出す。

作品名：『黒いトランク』　作者：鮎川哲也　初出：「書下し長篇探偵小説全集」第13巻、講談社、1956年　【本作の出典】『黒いトランク』（創元推理文庫、2002年）

鬼貫は、さしあたってX氏の正体と菰につつまれた荷物を追及し、近松とX氏によって示された一連の奇妙な行動の真意をつきとめなくてはならなかった。

鬼貫警部
X氏
青のソフト帽に青眼鏡、オーバーもズボンもマフラーもすべて青ずくめという奇妙な姿で出没する。
近松千鶴夫
黒いトランクの送り主。表向きは無職。実は麻薬の密売者として当局の監視下にあった。
彦根半六
トラック運転手。青ずくめの男に頼まれてこも包みの大きな荷物を運ぶ。

12月4日の近松の移動手段を探るため、ラジオ放送による呼びかけが行われました。それに博多のトラック運転手の彦根半六が名乗り出ます。鬼貫警部が話を聞くと、彼は、その日、若松まで畳を運んだ帰り道、こもで包んだ大きな荷物を持った青眼鏡の男に声をかけられ、二島まで行ったというのです。二島で青眼鏡は近松と落ち合い、こも包みをかかえて二島駅方向へ歩いていき、しばらくすると、またこも包みをかかえて戻ってきました。次に遠賀川駅へ向かい、そこで青眼鏡がひとりでこも包みをかついで駅のほうへ行き、帰りは手ぶらでした。そうして博多への帰途、福間で近松をおろし、青眼鏡は博多まで便乗したということでした。

作者の鮎川哲也について

1919年、東京巣鴨で生まれる。鉄道の測量技師だった父の仕事の都合で、満州・大連で育つ。1950年、『ペトロフ事件』を本名の中川透名義で「別冊宝石」に発表し、推理文壇にデビュー。1956年、講談社の「書下し長篇探偵小説全集」第13巻（新人募集にあてた最終巻）に、『黒いトランク』が入選。考え抜かれたアリバイ崩しの本格推理小説として、高い評価を受け、終生の代表作となった。1959年に発表した『黒い白鳥』と『憎悪の化石』で、翌1960年度の第13回日本探偵作家クラブ賞を受賞。同名の警部や探偵がたびたび登場するシリーズものなどで多彩なトリックを駆使する本格推理小説を発表する一方で、新人作家の発掘・紹介にも尽力。2002年、83歳で死去。

鮎川哲也

※1　近松由美子を除く主な登場人物をローマ字表記すると、蟻川愛吉AA、馬場番太郎BB、近松千鶴夫CC、膳所善造ZZのように、姓名の頭文字が同じになる。ちなみに鬼貫警部の名前は一度も明かされることはなかった。

『DL2号機事件』
亜愛一郎※1

ぼくは、亜愛一郎。
亜が姓です。雲や虫、魚や化石などを撮影するカメラマンが本業ですが、なぜか行く先々でよく事件に遭遇します。独特の論理と観察力で、出会った事件を推理し、解決していきます。

プロフィール

- **年齢**：35歳ぐらい。
- **外見の特長**：背が高く、端整な顔立ちで、色白。知的な目と、キリッとしまった口もとをもつイケメン。
- **特長**：外見に反して、運動神経はまるでなく、その言動はしばしばとぼけていて、ユーモラス。
- **ご先祖さま**：徳川13代将軍家定に仕えた雲見番の番頭の亜智一郎。実は将軍直属の隠密。
- **くせ**：頭の中で事件の真相にたどり着いたとき、両目そろって白目をむいてしまうことがあるらしい。
- **推理のスタイル**：観察と推察で全容をつかみ、独特の論理を展開して、犯人を突き止める。
- **解決した主な事件**：「右腕山上空」「掘出された童話」「藁の猫」「意外な遺骸」「ねじれた帽子」「球形の楽園」「赤の讃歌」などの事件。

あらすじ

悪いことは続けて起こらない？

宮前空港行き羽田発14時20分のＤＬ２号機を爆破するという予告電話が入ったのは、出発の23分前でした。離陸からきっかり30分後に、時限爆弾により空中爆破するであろうというのです。機内はくまなく調べ上げられましたが、爆発物は見つかりません。安全を確認したのち飛び立った同機は、宮前署の羽田刑事たちが厳重な警備を敷くなか、無事着陸します。その様子を３人のカメラマンたちが撮影していました。ＤＬ２号機のドアが開き、姿を見せた太った男が、タラップの階段でわざとつまずいたように見えました。それは実業家の柴という男で、乗客には極秘にしていたはずの爆破予告を、なぜか柴は知っていたうえに、警備のやり方に苦情を言うのでした。

翌日、柴から「俺は殺されそうだ」という電話を何度も受けていた羽田刑事は柴邸に向かい、そこで昨日の３人に出会います。３人のうちカメラマンは亜愛一郎という風変わりな名前をもつ男だけで、あとは地質学者と気象学者でした。そのとき柴邸から、奇妙で不吉な音が聞こえてきました。事件は空港ではなく、柴の豪邸で起きようとしていたのです。

緋熊五郎

柴の運転手。今年の正月に酔っぱらい運転で事故を起こした直後、柴に雇われた。はね飛ばされた女性は柔道の師範で、かすり傷ひとつなかった。

柴

従業員2000名の大企業、柴総合工務を経営する実業家。本社を東京に置きながら、1年前に震度7の地震に襲われた地方都市の宮前市に、わざわざ豪邸を建てて住んでいる。

羽田三蔵

宮前警察署の刑事巡査。カメレオンのように環境に合わせて自分をそれらしく見せることができる。どこから見ても普通の刑事で、あだ名は「刑事さん」。警部に昇格したら「警部さん」になるらしい。

作品名：『DL2号機事件』　作者：泡坂妻夫　初出：雑誌「幻影城」1976年3月号　【本作の出典】『亜愛一郎の狼狽』（創元推理文庫、1994年）

だぶだぶのカメラマンが、また「ああ」と言った。ＤＬ２号機は見る見る大きくなり、ドーナッツ型の雲の真ん中を通り抜けて、空港の上に現れた。

緋熊五郎
亜愛一郎
稲垣
東大助教授で気象学者。
成山
東大助教授で地質学者。
羽田三蔵

宮前空港の東の端に現れた白いものは近づくにつれてみるみるふくれあがり、透明な土砂降りになりました。警備のためにたたずむ羽田刑事をずぶぬれにしたにわか雨が通り過ぎ、思い出したように晴れると、空にはドーナツ型をした緑色の奇妙な雲が現れました。そのまん中を通り抜けて空港に現れたＤＬ２号機でしたが、亜と成山、稲垣の３人がレンズを向けていたのは飛行機ではなく、実は雲でした。大きな地震の前後にはある特定の雲や虹が観察されたという報告が多いことから、彼らは地震と雲の間に重要な関係があることを研究しているのです。

作家の泡坂妻夫※2について

1933年、紋章上絵師の三代目として東京神田に生まれる。本名は厚川昌男※2。家業を継ぐかたわら、若いころから大のマジック好きで創作奇術を数多く発表し、1968年には優秀なマジックの考案者に贈られる石田天海賞を受賞している。

『DL2号機事件』は作家としてのスタートとなった作品で、第１回幻影城新人賞の佳作に入選したもの。マジックとミステリーに共通するトリックをいかし趣向を凝らした、読者を楽しませようとするサービス精神が旺盛な作風を特徴とする。1978年には『乱れからくり』で第31回日本推理作家協会賞を、また1988年には『折鶴』で第16回泉鏡花賞、1990年に『蔭桔梗』で第103回直木賞を受賞。2009年、75歳で死去した。

泡坂妻夫

※1 亜愛一郎は『名探偵名鑑』が編まれたときに五十音順で最初に掲載されるようにと、名づけられたもの。
※2 泡坂妻夫のペンネームは、本名の読み「アツカワマサオ」の文字を組みかえたアナグラム。

収録作品・作家関連年表

明治時代　大正時代

1880　1900　1910　1920　1930

収録作品

- 1892 まだらの紐（ドイル）
- 1907 黄色いへやの恐怖Ⓐ（ルルー）
- 1910 813（ルブラン）
- 1910 青い十字架（チェスタトン）
- 1919 ◆813（保篠龍緒訳）
- 1921 ◆黄色の部屋→Ⓐ（愛智博訳）
- 1922 ◆青い十字架（浅野玄府訳）
- 1925 心理試験（江戸川乱歩）
- 1928 エーミールと探偵たちⒷ（ケストナー）
- 1928 ◆まだらの紐（延原謙訳）
- 1929 僧正殺人事件（ヴァン・ダイン）
- 1930 ◆僧正殺人事件（武田晃訳）
- 1930 古時計の秘密Ⓒ（キーン）
- 1932 エジプト十字架の秘密Ⓓ（クイーン）
- 1932 バンガロー事件（クリスティ）
- 1932 Yの悲劇（クイーン）
- 1934 オリエント急行殺人事件Ⓔ（クリスティ）
- 1934 ◆エヂプト十字架の秘密→Ⓓ（伴大矩訳）
- 1934 ◆少年探偵団→Ⓑ（中西大三郎訳）

収録作家の主な作品

- 1887 緋色の研究（ドイル）
- 1890 四つの署名（ドイル）
- 1905 奇商クラブ（チェスタトン）
- 1908 木曜の男（チェスタトン）
- 1908 黒衣婦人の香り（ルルー）
- 1908 奇岩城（ルブラン）
- 1909 オペラ座の怪人（ルルー）
- 1920 スタイルズ荘の怪事件（クリスティ）
- 1923 二銭銅貨（江戸川乱歩）
- 1925 D坂の殺人事件（江戸川乱歩）
- 1925 屋根裏の散歩者（江戸川乱歩）
- 1925 人間椅子（江戸川乱歩）
- 1926 ベンスン殺人事件（ヴァン・ダイン）
- 1926 アクロイド殺し（クリスティ）
- 1928 グリーン家殺人事件（ヴァン・ダイン）
- 1928 陰獣（江戸川乱歩）
- 1929 グラン・ギニョール（カー）
- 1929 ローマ帽子の秘密（クイーン）
- 1930 幽霊屋敷の謎（キーン）
- 1930 夜歩く（カー）
- 1932 Xの悲劇（クイーン）

収録作家

ドイル
［イギリス］1859-1930

キーン（ストラテマイヤー）
［アメリカ］1862-1930

ルブラン
［フランス］1864-1941

ルルー
［フランス］1868-1927

チェスタトン
［イギリス］1874-1936

チャンドラー
［アメリカ］1888-1959

ヴァン・ダイン
［アメリカ］1888-1939

クリスティ
［イギリス］1890-1976

江戸川乱歩
［日本］1894-1965

主な出来事

- 1896 アテネで第1回近代オリンピックの開催
- 1889 大日本帝国憲法公布
- 1894～95 日清戦争
- 1900 パリ万国博覧会
- 1902 日英同盟調印
- 1904～05 日露戦争
- 1906 サンフランシスコ大地震
- 1909 伊藤博文暗殺
- 1910 日韓併合
- 1911 辛亥革命
- 1912 明治天皇没
- 1914～18 第一次世界大戦
- 1915 アインシュタインが一般相対性理論を発表
- 1917 ロシア革命
- 1920 国際連盟発足
- 1923 関東大震災
- 1924 ロシアの革命家・政治家レーニン没
- 1925 中国の革命家・政治家の孫文没
- 1926 大正天皇没
- 1929 世界大恐慌
- 1931 満州事変

＊太字は本書掲載の作品を、◆は翻訳・翻案をあらわす。
＊発表年が、2年以上にわたる作品は、原則として連載の最初の年を記した。

昭和時代 ／ 平成時代

1940　1950　1960　1970　1980　1990

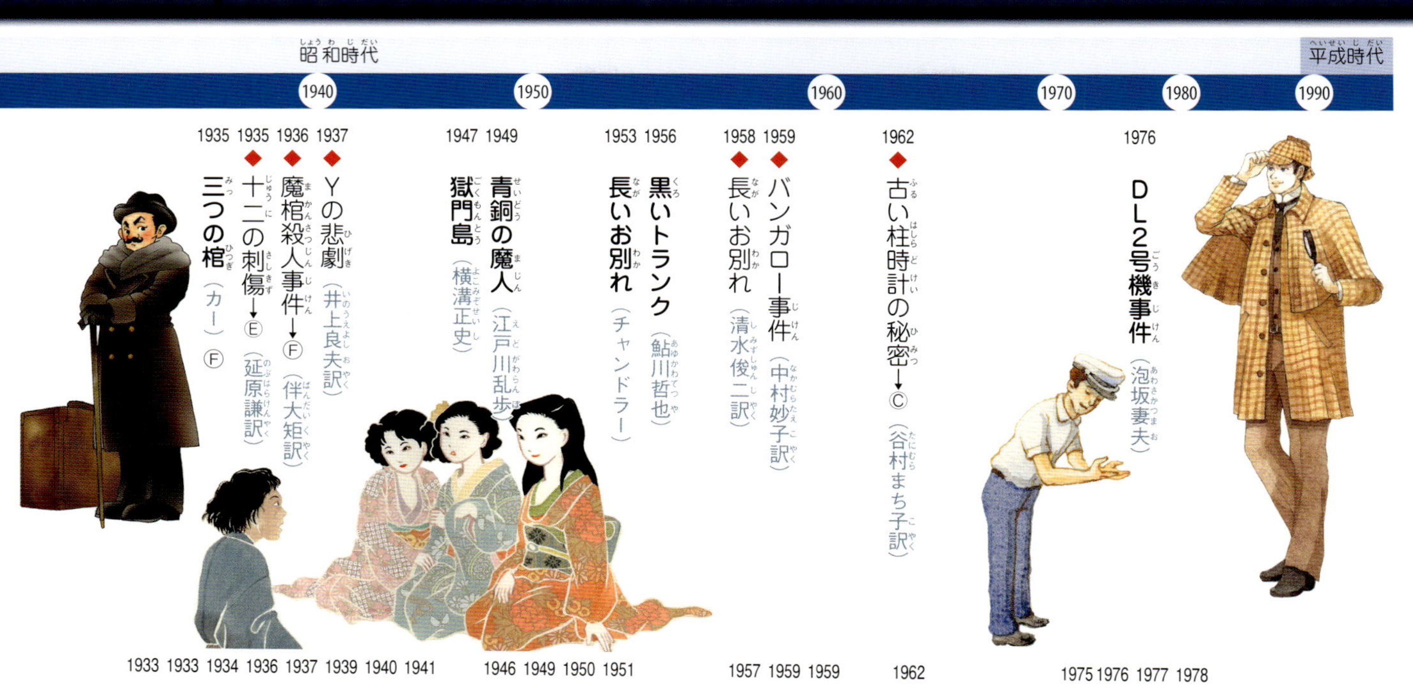

1935 **三つの棺**（カー）Ⓕ
1935 ◆十二の刺傷→Ⓔ（延原謙訳）
1936 ◆魔棺殺人事件→Ⓕ（伴大矩訳）
1937 ◆Yの悲劇（井上良夫訳）
1947 **獄門島**（横溝正史）
1949 **青銅の魔人**（江戸川乱歩）
1953 **長いお別れ**（チャンドラー）
1956 **黒いトランク**（鮎川哲也）
1958 ◆長いお別れ（清水俊二訳）
1959 ◆バンガロー事件（中村妙子訳）
1962 ◆古い柱時計の秘密→Ⓒ（谷村まち子訳）
1976 **DL2号機事件**（泡坂妻夫）

1933 魔女の隠れ家（カー）
1933 飛ぶ教室（ケストナー）
1934 プレーグ・コートの殺人（カー／ディクスン）
1936 怪人二十面相（江戸川乱歩）
1937 ナイルに死す（クリスティ）
1939 大いなる眠り（チャンドラー）
1940 さらば愛しき女よ（チャンドラー）
1941 白昼の悪魔（クリスティ）
1946 本陣殺人事件（横溝正史）
1949 八つ墓村（横溝正史）
1950 犬神家の一族（横溝正史）
1951 幻影城（江戸川乱歩）
1957 悪魔の手毬唄（横溝正史）
1959 黒い白鳥（鮎川哲也）
1959 憎悪の化石（鮎川哲也）
1962 鏡は横にひび割れて（クリスティ）
1975 カーテン（クリスティ）
1976 スリーピング・マーダー（クリスティ）
1977 乱れからくり（泡坂妻夫）
1978 亜愛一郎の狼狽（泡坂妻夫）

ケストナー
［ドイツ］1899-1974

横溝正史
［日本］1902-1981

クイーン［アメリカ］
ダネイ：1905-1982
リー：1905-1971

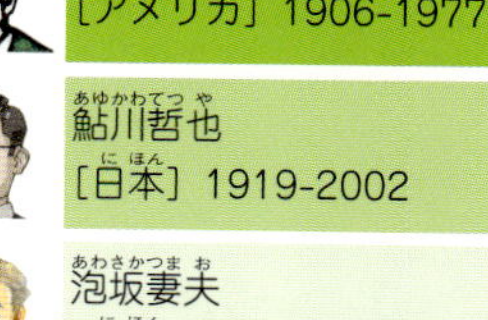
カー（ディクスン）
［アメリカ］1906-1977

鮎川哲也
［日本］1919-2002

泡坂妻夫
［日本］1933-2009

1937 日中戦争
1939～45 第二次世界大戦
1946 日本国憲法公布
1950 朝鮮戦争勃発
1953 ソ連の政治家、スターリン没
1954 アメリカ、ビキニ環礁で水爆実験
1957 ヨーロッパ経済共同体EEC設立
1959 キューバ革命
1963 アメリカのケネディ大統領暗殺
1964 東京オリンピック開催
1966 中国文化大革命
1967 ヨーロッパ共同体ECの発足
1968 フランス、五月革命
1969 アポロ11号月面着陸
1976 中国の政治家、毛沢東没
1978 日中平和友好条約調印
1986 ソ連邦のチェルノブイリ原発事故
1989 昭和天皇没
1989 ベルリンの壁崩壊
1991 ソ連邦解体
1993 欧州連合EU発足
1995 阪神・淡路大震災

名作ミステリーに挑戦しよう！　読書案内

①世界の名探偵と出会う本

『エーミールと探偵たち』E・ケストナー作

①岩波少年文庫（池田香代子訳）　②岩波書店「ケストナー少年文学全集」1（高橋健二訳）

①は2000年刊行の新訳版。②は1962年刊行。会話文の訳しかたなどが異なり雰囲気が違う。

『古時計の秘密』C・キーン作

①創元推理文庫（渡辺庸子訳）　②金の星社フォア文庫『古い柱時計の秘密』（谷村まち子訳）

①「ナンシー・ドルー・ミステリ」シリーズの1冊で、8冊まで刊行されている（2015年現在）。一般向きだが、翻訳は読みやすく少女マンガ風のカバー絵が親しみやすい。②は小学校高学年・中学向きで、図書館で読める。同社からは、ほかにナンシーを中心とした3人トリオが活躍する「少女探偵ナンシー・ドルー」シリーズが4冊刊行されている。

『青銅の魔人』江戸川乱歩作

①ポプラ文庫クラシック「江戸川乱歩・少年探偵シリーズ」5　②ポプラ社「文庫版　少年探偵・江戸川乱歩」5『文庫版　青銅の魔人』

①は昭和30年代刊行当時の表紙絵のまま復活刊行されたもの。②は挿絵がリニューアルされている。

『まだらの紐』A・C・ドイル作

①偕成社「シャーロック・ホームズ全集」6『シャーロック＝ホームズの冒険　下』（平賀悦子ほか訳）　②岩波少年文庫『まだらのひも』（林克己訳）　③講談社青い鳥文庫『名探偵ホームズ　まだらのひも』（日暮まさみち訳）　④角川つばさ文庫『名探偵シャーロック・ホームズ　赤毛連盟　まだらのひも』（石田文子・大庭賢哉訳）　⑤岩崎書店「新装版シャーロック・ホームズ」11『まだらのひも事件』（内田庶訳）

①はシャーロック・ホームズの最初の短編集『シャーロック・ホームズの冒険』を上下巻に分けた完訳版。下巻には『まだらの紐』のほか『青い紅玉』『技師の親指』『独身の貴族』『緑柱石の宝冠』『ブナ屋敷』の6編を収録。②は『赤毛連盟』『口のまがった馬』など6編。③は表題作ほか『技師の親指』『緑柱石の宝冠』『海軍条約文書』の4編。④は表題の2作ほか『青いガーネット』『ボヘミア王のスキャンダル』も収録。⑤は小学校中学年からを対象にした全15巻シリーズの1冊。『青い宝石』も収録。

『黄色いへやの恐怖』G・ルルー作

①岩崎書店「名探偵・なぞをとく」12（磯村淳訳）
②創元推理文庫『黄色い部屋の謎』（宮崎嶺雄訳）
③ハヤカワ・ミステリ文庫『黄色い部屋の秘密』（高野優監修・訳、竹若理衣訳）

①は小学校中学年からを対象に読みやすく抄訳されたもの。図書館で読める。②は一般向け。③は一般向けで2015年刊行の新訳。

『８１３』M・ルブラン作

①偕成社文庫（大友徳明訳）　②ポプラ文庫クラシック「怪盗ルパン全集シリーズ」3『８・１・３の謎』（南洋一郎訳）　③新潮文庫（堀口大学訳）

①は少年少女向けの完訳版。②は小学校高学年からを対象にしたもので『８１３』『続８１３』を合わせて原作の約3分の1の分量に抄訳している。昭和30年代刊行当時の表紙絵もそのままに復活刊行されたもの。③は一般向け。

『青い十字架』G・K・チェスタトン作

①創元推理文庫『ブラウン神父の童心』（中村保男訳）　②岩崎書店「名探偵・なぞをとく」10『青い十字架のひみつ』（白木茂訳）　③ちくま文庫『ブラウン神父の無心』（南條竹則・坂本あおい訳）

①は一般向け。『青い十字架』のほか『秘密の庭』『奇妙な足音』『飛ぶ星』など全12編を収録。②は児童向けで表題作ほか『ふしぎな足音』『とぶ星』を収録。③も一般向けで、2012年刊行の新訳版。

『僧正殺人事件』S・S・ヴァン・ダイン作

①創元推理文庫（日暮雅通訳）

①は現在流通している唯一の翻訳本で、『乱歩が選ぶ黄金時代ミステリーBEST10　3僧正殺人事件』（集英社文庫、1999年）の改版。

『バンガロー事件』A・クリスティ作

①早川書房、クリスティー文庫『火曜クラブ』（中村妙子訳）　②創元推理文庫『ミス・マープルと十三の謎』（高見沢潤子訳）

※ここでは、本書で取り上げた作品を収めた本を紹介します。出版社ごとに出している文庫や作品を収録している全集など、読みやすく入手しやすいものを中心に選んでいます。書名が作品名と異なっている場合には、その書名をあげています。

①表題作ほか『バンガロー事件』『金塊事件』『青いゼラニウム』など、ミス・マープルが推理をする短編13編を収録。②も同内容。どちらも一般向け。

『オリエント急行殺人事件』A・クリスティ作

①偕成社文庫（茅野美ど里訳）②ポプラ・ポケット文庫（神鳥統夫訳）③講談社青い鳥文庫（花上かつみ訳）④創元推理文庫『オリエント急行の殺人』（長沼弘毅訳）⑤早川書房、クリスティー文庫『オリエント急行の殺人』（山本やよい訳）

①②③は少年少女向けで、①は完訳版。④⑤は一般向けで、④は2003年、⑤は2011年刊行でいずれも新訳。

『Yの悲劇』E・クイーン作

①角川文庫（越前敏弥訳）②ポプラ社文庫（小林宏明文）③創元推理文庫（鮎川信夫訳）④ハヤカワ・ミステリ文庫（宇野利泰訳）⑤新潮文庫（大久保康雄訳）

①は一般向けで2010年刊行の新訳版。②は少年少女向けの抄訳で、図書館で読むことができる。③④⑤も一般向け。

『エジプト十字架の秘密』E・クイーン作

①角川文庫（越前敏弥・佐藤桂訳）②創元推理文庫『エジプト十字架の謎』（井上勇訳）③あかね書房、「少年少女世界推理文学全集」『エジプト十字架の秘密・十四のピストルのなぞ』（亀山龍樹訳）

①は一般向けで2010年刊行の新訳版。②も一般向け。③は40年以上前に少年少女向けに刊行された全集の1冊で抄訳版。美術家の横尾忠則氏が挿画を手がけている。運がよければ図書館で読むことができる。

『三つの棺』J・D・カー作

①ハヤカワ・ミステリ文庫（加賀山卓朗訳）

①は一般向けで2014年刊行の新訳。

『長いお別れ』R・チャンドラー作

①ハヤカワ・ミステリ文庫（清水俊二訳）②ハヤカワ・ミステリ文庫『ロング・グッドバイ』（村上春樹訳）

①は1976年刊行で、この翻訳からは数々の名言が生まれた。②は作家・村上春樹の訳で、より原文に忠実に訳されている。

『心理試験』江戸川乱歩作

①岩波文庫『江戸川乱歩短篇集』②岩崎書店「世界の名探偵」9『明智小五郎「屋根裏の散歩者他」』③新潮文庫『江戸川乱歩傑作選』④光文社文庫『屋根裏の散歩者』⑤春陽堂書店「江戸川乱歩文庫」⑥創元推理文庫『日本探偵小説全集2　江戸川乱歩集』

①は暗号小説の『二銭銅貨』、明智小五郎が初登場する『D坂の殺人事件』、本書第2巻収録の『鏡地獄』など全12編を収録。②は児童向けシリーズの1冊で、『屋根裏の散歩者』と『心理試験』を収録。図書館で読める。③は9編を収録。④は「江戸川乱歩全集」第1巻で、短編22編を収録。⑤は全30巻の旧全集からベスト13巻を厳選してリニューアルしたもの。表紙絵の銅版画が印象的。⑥は12編を収録。

『獄門島』横溝正史作

①角川文庫　②創元推理文庫『日本探偵小説全集9　横溝正史集』

①は1971年初版より版を重ねる。②は『獄門島』のほか『本陣殺人事件』も収録。

『黒いトランク』鮎川哲也作

①創元推理文庫　②光文社文庫『黒いトランク　鬼貫警部事件簿―鮎川哲也コレクション』

①②とも一般向け。①には有栖川有栖、北村薫、戸川安宣の3氏による「解説鼎談　戦後本格の出発点」を収録。

『DL2号機事件』泡坂妻夫作

①創元推理文庫『亜愛一郎の狼狽』②文春文庫「マイ・ベスト・ミステリー」6（日本推理作家協会編）

①『DL2号機事件』ほか全8編を収録。②は有栖川有栖ほか6名のミステリー作家が、「一番好きな自作短編」と「一番好きな他人の短編」を選んだアンソロジーの第6巻。図書館で読める。

さくいん

※ここでは、本書の中で見出しになっている人名や人物をひろい、本文に出てくるページ数を示しています。
●太字は、大見出しのヒーロー、ヒロイン名、（　）の中は作品名です。

典拠資料一覧

※本書で取り上げた作品の人名や固有名詞などは、下記の書目を参考にしています。冒頭の数字は、本書のページ数を、（　）内は原文の掲載された資料のページを示しています。

6〜7ページ＝**『エーミールと探偵たち』**岩波少年文庫
E・ケストナー作、池田香代子訳、岩波書店、2000年（p.89、2013年第22刷）
8〜9ページ＝**『古時計の秘密』**創元推理文庫
C・キーン作、渡辺庸子訳、東京創元社、2007年（p.83）
10〜11ページ＝**『青銅の魔人』**ポプラ文庫
江戸川乱歩作、ポプラ社、2008年（p.82）
12〜13ページ＝**『シャーロック・ホームズの冒険　下』**「シャーロック・ホームズ全集」6
A・C・ドイル作、平賀悦子訳、偕成社、1983年（p.119、2007年第28刷）
14〜15ページ＝**『黄色いへやの恐怖』**「名探偵・なぞをとく」12
G・ルルー作、磯村淳訳、岩崎書店（絶版）、1985年（p.50、1991年第6刷）
16〜17ページ＝**『813』**「アルセーヌ・ルパン・シリーズ」偕成社文庫
M・ルブラン作、大友徳明訳、偕成社、2005年（p.54）
18〜19ページ＝**『ブラウン神父の童心』**創元推理文庫
G・K・チェスタトン作、中村保男訳、東京創元社、1982年（p.17、2010年第37版）
20〜21ページ＝**『僧正殺人事件』**創元推理文庫
S・S・ヴァン・ダイン作、日暮雅通訳、東京創元社、2010年（p.27）
22〜23ページ＝**『火曜クラブ』**クリスティー文庫
A・クリスティー作、中村妙子訳、早川書房、2003年（p.390、2011年5刷）
24〜25ページ＝**『オリエント急行殺人事件』**偕成社文庫
A・クリスティ作、茅野美ど里訳、偕成社、1995年（p.43、1997年第13刷）
26〜27ページ＝**『Yの悲劇』**角川文庫
E・クイーン作、越前敏弥訳、KADOKAWA、2010年（p.34、2014年再版）
28〜29ページ＝**『エジプト十字架の秘密』**角川文庫
E・クイーン作、越前敏弥・佐藤桂訳、KADOKAWA、2013年（p.64）
30〜31ページ＝**『三つの棺』**ハヤカワ・ミステリ文庫
J・D・カー作、加賀山卓朗訳、早川書房、2014年（p.72、p.69＝見取図）
32〜33ページ＝**『長いお別れ』**ハヤカワ・ミステリ文庫
R・チャンドラー作、清水俊二訳、早川書房、1976年（p.50、2006年第67刷）
34〜35ページ＝**『江戸川乱歩短篇集』**岩波文庫
江戸川乱歩作、千葉俊二編、岩波書店、2008年（p.115）
36〜37ページ＝**『獄門島』**角川文庫
横溝正史作、KADOKAWA、1971年（p.30、2008年改版30版）
38〜39ページ＝**『黒いトランク』**創元推理文庫
鮎川哲也作、東京創元社、2002年（p.120）
40〜41ページ＝**『亜愛一郎の狼狽』**創元推理文庫
泡坂妻夫作、東京創元社、1994年（p.16、2014年19版）

【その他の参考資料】

『新 海外ミステリ・ガイド』（論創社）／『海外ミステリー事典』『日本ミステリー事典』『新潮世界文学辞典』『新潮日本文学辞典』（新潮社）／『集英社世界文学大事典』／『世界児童・青少年文学情報大事典』（勉誠出版）／『世界ミステリ作家事典』『幻想文学大事典』（国書刊行会）／『英米児童文学辞典』（研究社）／『日本現代文学大事典』（明治書院）／『新訂作家・小説家人名辞典』（日外アソシエーツ）

◆ 監修者紹介

北村 薫（きたむら　かおる）

1949年、埼玉県生まれ。高校で国語を教えるかたわら、89年、『空飛ぶ馬』でデビュー。91年、『夜の蝉』で日本推理作家協会賞。93年から執筆活動に専念。2009年、『鷺と雪』で直木賞受賞。著書に『スキップ』『月の砂漠をさばさばと』『中野のお父さん』など。

有栖川有栖（ありすがわ　ありす）

1959年、大阪府生まれ。書店勤務を経て、89年、『月光ゲーム』でデビュー。作風から「日本のクイーン」と呼ばれる。2003年、『マレー鉄道の謎』で日本推理作家協会賞、2008年、『女王国の城』で本格ミステリ大賞受賞。著書に『双頭の悪魔』『鍵の掛かった男』など。

NDC 019
監修　北村 薫
　　　有栖川有栖
北村薫と有栖川有栖の
名作ミステリーきっかけ大図鑑
――ヒーロー＆ヒロインと謎を追う！
①集まれ！　世界の名探偵
日本図書センター
2016年　48P　29.7cm × 21.0cm

◆ 本文イラスト
石川あぐり（20～21頁）／いずみ朔庵（36～37頁）／岩田健太朗（30～31頁）／
内山大助（14～15頁）／大島加奈子（22～23頁）／オオシマソウスケ（18～19、34～35頁）／
KASHU（10～11頁）／さいとうかこみ（8～9、40～41頁）／佐川明日香（16～17、32～33頁）／
つだなおこ（6～7、24～25頁）／中野耕一（38～39頁）／苗村さとみ（12～13頁）／
新倉サチヨ（26～27頁）／西野由希恵（28～29頁）

◆ 本文テキスト
有田弘二／井本旬子／小林明子／瀬川景子／藤本健嗣／山本啓美

◆ デザイン
坂本公司＋渡邉薫

◆ 構成・編集・制作
株式会社 見聞社：大村順子／渡辺慶子

◆ 編集協力
北川健之／北川すみ／野々内裕佳子

◆ 企画編集
日本図書センター：福田 恵／村上雄治

北村薫と有栖川有栖の名作ミステリーきっかけ大図鑑――ヒーロー＆ヒロインと謎を追う！
第1巻　集まれ！　世界の名探偵

2016年1月25日　初版第1刷発行

［監　修］北村 薫
　　　　　有栖川有栖
［発行者］高野総太
［発行所］株式会社 日本図書センター　〒112-0012　東京都文京区大塚3-8-2
　　　　　電話　営業部03（3947）9387　出版部03（3945）6448
　　　　　http://www.nihontosho.co.jp
印刷・製本　図書印刷 株式会社

ISBN978-4-284-70087-0（全3巻セット）
ISBN978-4-284-70088-7（第1巻）

POISON
20